Femme désirée,
femme désirante

Dr Danièle Flaumenbaum

Femme désirée, femme désirante

PAYOT

Retrouvez l'ensemble des parutions
des Éditions Payot & Rivages sur

www.payot-rivages.fr

INTRODUCTION

Je suis née pendant la guerre, troisième d'une fratrie de trois filles, de onze et quinze ans mes aînées. Mes parents, des Juifs polonais cachés en zone libre dans le Midi de la France, avaient appris par la rumeur que les femmes enceintes ou avec des enfants de moins de un an ne seraient pas déportées dans les camps. Mon père, qui avait perdu sa mère alors qu'il n'avait que trois ans, était soucieux de préserver sa femme et ses filles. Ma mère, qui venait de perdre sa mère, à qui elle vouait un amour inconditionnel, était en plein deuil. Je suis donc née pour sauver ma mère et mes sœurs, pour être le rayon de soleil qui redonne vie à la folie humaine. Si j'ajoute que ma grand-mère maternelle était sage-femme, voilà mon destin de gynécologue qui s'impose puisque je prolonge cette femme que je n'ai pas connue et dont je porte le prénom. Moi qui aimais les sciences de la nature, les langues et les voyages, je me retrouve à la faculté de médecine sans rien y comprendre.

Les études médicales me sont pénibles. Les programmes sont trop chargés. Je n'arrive pas à ingurgiter toute cette masse d'informations, sans jamais avoir le temps de la digérer. Il faut tout savoir. J'ai l'impression de passer à côté de ma vie. Je me fais des amis et, parmi eux, celui qui va devenir mon premier mari. Je milite avec eux pour une médecine dans laquelle le malade ne serait plus seulement considéré comme un numéro, mais comme un individu doté d'émotions, de sentiments et d'une histoire singulière.

Soigner les femmes était, pour moi, leur permettre de se considérer : elles avaient un cerveau, un corps, les deux étaient reliés et devaient faire bon ménage, même s'ils n'avaient pas l'air de fonctionner de la même façon. Les femmes de ma génération avaient vu leurs parents souffrir de leurs enfermements respectifs, chacun cloîtré dans son monde, incapable de parler ni de comprendre l'autre. Elles allaient avoir une vie plus libre, pouvoir se sentir l'alter ego des hommes et devenir leur compagne de route. Je ne m'attendais pas à tout le travail personnel que cela impliquait.

Après douze ans d'exercice de la gynécologie, pendant lesquels j'ai divorcé, fait une première « tranche » de psychanalyse et rencontré le père de mes enfants, ce sont la médecine chinoise et l'apprentissage de l'acupuncture qui m'ont ouverte à la notion d'énergie et fait découvrir la sexologie chinoise. Les Chinois de la Chine ancienne ont non seulement décrit les trajets de l'énergie sexuelle, mais encore expliqué en quoi l'activité sexuelle est nécessaire à l'entretien de la vie, à la santé de l'esprit et à la prévention des maladies. La femme gynécologue qui cherchait comment lier le corps et l'esprit était comblée...

Tout au long de ma pratique de gynécologue, la majorité des femmes qui m'ont consultée souffraient de ne pas vivre leur sexualité comme elles le souhaitaient : se sentir à l'aise avec leurs sensations, pouvoir les ajuster et les partager avec celles de leur partenaire, et ainsi savoir bénéficier des bienfaits reconstituants du partage amoureux.

J'ai démarré mon activité professionnelle en 1971. À cette époque, malgré les difficultés de ma vie affective personnelle, je croyais comme presque toutes les femmes de ma génération que la pilule allait automatiquement apporter une solution à l'épanouissement de la sexualité. Pour moi, il était évident que le plaisir d'être une femme serait ainsi complété par celui d'être une mère moderne qui accédait à une reconnaissance encore récente de son droit au travail.

Nous avions toutes souffert du carcan interdicteur et inhibiteur de la sexualité dans lequel nos parents et grands-parents avaient été pris. Nous allions pouvoir accéder à une vie plus libre, nous avions de la chance. Or, deux générations après cette libération des mœurs, et alors que la conception de la vie a radicalement changé, qu'elles aient vingt, trente, quarante ou soixante ans, les femmes qui me consultent aujourd'hui sont toujours sous l'emprise de difficultés sexuelles. Les relations entre les hommes et les femmes continuent d'être une source d'incompréhension, de fatigue et de drame.

Pourquoi la question de la sexualité et de son épanouissement, pourtant admise socialement, faisant partie des mœurs de notre époque, a-t-elle toujours autant de mal à se vivre ? Pourquoi le corps ne sait-il pas ressentir le désir ou éprouver le plaisir de la rencontre amoureuse dans sa pleine expansion ?

Il en a pourtant la capacité : il n'y a plus d'interdits moraux et, fondamentalement, il ne demande que ça. En fait, l'envie et l'autorisation ne suffisent pas à avoir de l'aisance. L'intime ne découle pas automatiquement du social. L'amour charnel, comme toutes les fonctions et valeurs humaines qui impliquent le corps sans lui appartenir pour autant, est le résultat d'une transmission précoce dans la petite enfance qui nous modèle et inscrit dans nos cellules des informations sous forme d'empreintes.

Les petites filles ne peuvent rêver de devenir « maman » que si leur mère est heureuse de l'être. Elles doivent pouvoir grandir en sachant aussi que la sexualité qu'elles vivront quand elles seront grandes leur donnera beaucoup de plaisir et de forces. « Si la mère est elle-même narcissisée d'être femme et heureuse d'avoir une fille, tout est en ordre pour l'enfant, pour qu'elle investisse sa féminité et son sexe de façon positive », disait Françoise Dolto[1], sinon ces petites filles continueront d'être construites selon l'ancien modèle où la bienséance sociale et familiale voulait non seulement qu'on ne montre rien, qu'on ne dise ni n'exprime rien de cette sexualité de plaisir, mais que celle-ci, en plus, est à bannir. Or, ce mutisme et cette incohérence de l'expression de soi bloquent la spontanéité. Ils sont la racine de l'insatisfaction, de la peur, du désarroi et de la honte de devenir femme. Une jeune fille entre toujours dans sa vie de femme avec le bagage dont elle hérite de sa famille.

J'ai moi-même été promise à devenir une mère heureuse pouvant exercer un métier indépendant, mais je n'ai pas été amenée à devenir une femme sexuée. Le sexe, sa magie et sa force n'avaient aucune existence dans ma famille. Ils ne faisaient pas partie des choses qu'on avait à me transmettre. Mon sexe n'existait pas, ou plutôt, tout en s'incluant dans ma morphologie, il restait une énigme. Il n'avait pas de nom et je ne connaissais pas les règles de son fonctionnement.

En effet, pour une femme, faire l'amour, c'est non seulement se donner et s'abandonner à

---

1. Françoise Dolto, *La Sexualité féminine*, Paris, Gallimard, 1996, p. 154.

l'homme aimé, mais c'est aussi savoir l'accueillir et le recevoir en elle, et ce, dans sa tête et son cœur mais aussi dans son sexe. C'est un véritable voyage qui conduit, pour ceux que cela intéresse, à la découverte d'un agrandissement de soi-même et de l'autre. Pour Hadrien, héros de Marguerite Yourcenar, cette aventure va de l'amour d'un corps à l'amour d'une personne[1]. Pour d'autres, ce sera de l'amour d'une personne à l'amour d'un corps.

La sexualité est le privilège de l'âge adulte qui se découvre à partir de l'adolescence, qui évolue au fur et à mesure du déroulement de la vie et qui a besoin de s'ajuster à chaque changement de cycles. Qui dit voyage, dit départ et séparation du connu pour s'ouvrir à l'inconnu. Dans la sexualité, le décor change au profit de nouveaux paysages et d'autres ambiances aux couleurs, senteurs, musiques et langues différentes. Il s'agit de prendre le temps d'apprécier et d'intégrer toutes ces splendeurs pour devenir plus fort, plus riche et de plus en plus soi-même. Le plaisir de ce voyage est alors d'autant plus bénéfique qu'il est intégré à la vie. Mais le plaisir ne saura naître et s'apprécier que si l'on en connaît les enjeux et les codes. Sans cela, on risque de passer à côté de l'émerveillement, de ne pas savoir se repérer, ou d'être transi de peur devant cette

---

1. Marguerite Yourcenar, *Mémoires d'Hadrien*, Paris, Gallimard, coll. « Folio », 1977.

nouveauté. On risque aussi – et c'est souvent le cas – de ne jamais entreprendre le voyage.

Dire « oui » à l'intégration qu'est la sexualité dans toute vie, c'est dire « oui » à ce voyage et à ses découvertes. Ma vie de femme et mon expérience de gynécologue m'ont montré qu'une grande majorité de femmes ne sont toujours pas construites pour le voyage de la rencontre des sexes : elles sont toujours prises dans des filets de fausses croyances et d'ignorance.

Jusqu'à ma génération, celle de l'après-guerre, ce voyage était mal vu, déconseillé, voire interdit. Depuis l'avènement de la contraception, dans les années 1965, il n'est plus interdit. Il est désormais socialement admis que les femmes peuvent, au même titre que les hommes, vivre leur sexualité. Or, elles ne savent toujours pas la concevoir dans une dynamique joyeuse. Elles sont consentantes, mais complètement inertes : les douleurs et les maladies traduisant les drames hérités des femmes de leur famille les rattrapent et se substituent à leur propre désir. Dans les années 1960, Brassens chantait que « 95 % des femmes s'emmerdent en baisant ». Ce chiffre correspondait tout à fait à la réalité de l'époque. Aujourd'hui, je dirai qu'il n'est guère inférieur à... 85 %.

La plupart des femmes pensent être ouvertes à l'amour du corps de l'autre et du leur, mais, comme nous le verrons, elles sont fermées et ne le savent pas. Cette fermeture est invisible et ne se ressent pas. Ces femmes ont certes le désir de s'engager dans le voyage de la sexualité, elles en rêvent, mais elles restent paralysées par une éducation sexuelle chargée d'ignorance et d'interdits, demeurant sur le seuil ou dans le vestibule, en attente d'être « embarquées », créées ou initiées.

La sexualité prend racine en nous dans le climat émotionnel et affectif de la famille qui nous accueille. La façon dont celle-ci considère la sexualité – l'idée qu'elle en a et la place qu'elle lui octroie dans la vie – modèle littéralement notre comportement et pose les briques de notre façon de communiquer avec les autres. C'est ce qui constitue notre « structuration première », ce qui crée notre socle et conditionne ce que Françoise Dolto appelle notre « sécurité de base[1] ».

Or, sans le savoir, ces femmes sont toujours prisonnières de la peur et des interdits dans lesquels étaient enfermées leurs mères, tantes et grand-mères. S'étant construites en s'identifiant à ces femmes, elles sont fabriquées comme elles. Les mères ne pouvaient pas les dégager de cet enfermement, car elles-mêmes ne se savaient pas fermées. Leurs mères étant restées des « filles », elles aussi restent des « filles ».

Insatisfaction, frustration consciente ou inconsciente, tristesse, fatigue, « engueulades », colères :

---

1. Voir Françoise Dolto, *Le Sentiment de soi. Aux sources de l'image du corps*, Paris, Gallimard, 1997.

les hommes et les femmes ne savent ni se parler ni prendre le temps de s'écouter, et c'est toujours la faute de l'autre. Sans recul, sans pouvoir penser les différences de fonctionnement des hommes et des femmes, chacun se rétrécit, s'enferme dans sa coquille, les femmes ayant plus tendance à se refermer comme des huîtres, les hommes à se rétracter comme des escargots.

La notion d'accueil et de réception étant l'essence même du mouvement de la féminité, sa méconnaissance limite et dévie les bienfaits de la rencontre érotique. C'est en recevant les forces sexuelles de l'autre à l'intérieur de son corps que chacun peut se renouveler, se régénérer et se sentir entier. Cette rencontre des corps n'est toutefois pas un troc entre les forces sexuelles féminines et masculines. C'est une alchimie qui potentialise ces forces et permet à chacun de profiter de ce qu'il n'a pas, ce qui opère un dépassement de soi. Ce passage dans une autre dimension de la réalité nous fait grandir dans la mesure où il nous fait rencontrer du nouveau et toucher au mystère de la vie. C'est à ce moment-là que la sexualité touche au sacré.

La génération de nos mères ne pouvait pas transmettre cette sexualité de plaisir, puisqu'elles l'ignoraient. La mienne a fait la promotion d'un « tout est possible », elle a donné de la permissivité, mais elle ne pouvait transmettre ce qu'elle ne savait pas vivre. La génération des femmes d'aujourd'hui doit accepter qu'elle n'est pas construite pour pouvoir la vivre, et donc reconnaître qu'un apprentissage est nécessaire.

C'est ma vie de femme qui m'a permis de découvrir que je n'étais pas plus construite que les patientes que je recevais. J'étais, comme elles, identifiée à l'ancien modèle. Il m'a fallu des années pour entendre, accepter et intégrer dans tout mon être que je ne me comportais pas en « femme » alors que j'étais déjà mère : le choc fut dur à encaisser.

J'allais sur la quarantaine, l'homme que j'aimais, qui était le père de mes enfants, que je soutenais dans ses entreprises et que je respectais, me disait inlassablement qu'il n'avait pas de « femme ».

Je n'y comprenais rien. Il ne savait pas m'en dire plus, mais je ne pouvais en entendre plus. C'est au cours d'une nuit d'amour pendant laquelle il a mis toute son ardeur, que je me suis ouverte comme jamais je ne l'avais fait. J'ai tout à coup senti l'envahissement à l'intérieur de mon corps de son énergie qui me traversait : je l'avais accueilli. Je n'en revenais pas, je me sentais nouvelle, j'étais une autre, j'avais muté. C'était donc ça, la jouissance dont il me parlait et à laquelle je ne comprenais rien !

Dès lors que cette ouverture sexuelle s'y est inscrite, ma vie n'a plus été la même. Je n'ai plus vu le monde de la même façon, une porte s'était ouverte, un rideau s'était levé. Je débarquais sur une planète où tout était plus vaste et cette nouvelle naissance à moi-même me donnait de l'expansion, de l'envergure. Non seulement je me déplissais et me redressais comme si j'avais vécu précédemment dans une maison de poupées, mais je m'allégeais et me délestais aussi d'attaches au passé qui freinaient ma spontanéité. Je m'assouplissais tout en me densifiant, puisque je réceptionnais des forces nouvelles. Faire l'amour devenait la capacité d'accueillir et de recevoir en moi les forces de l'homme que j'aimais. Je découvrais la valeur de son sexe et lui faisais ressentir sa puissance, le confirmant ainsi à mon tour en tant qu'homme. Jusqu'alors, je pouvais lui témoigner mon amour en étant dans le don, le soutien et l'attention. Je pouvais me donner à lui, je restais « en surface ». Je l'avais « dans la peau », le cœur, l'esprit, mais je ne savais pas que j'avais les capacités de l'accueillir et le recevoir sexuellement en moi.

Cette sexualité revitalisante est alors devenue partie intégrante de ma vie. J'ai compris que pour la faire vivre, il fallait lui consacrer du temps, apprendre à me préparer et me rendre disponible pour la rencontre avec l'autre. J'étais stupéfaite de la vitalité que cette nouvelle vie me donnait et cela me paraissait insensé de n'en n'avoir pas eu les clés plus tôt. Ce n'était ni dégoûtant, ni vulgaire, ni compliqué. C'était au contraire d'une simplicité déconcertante. Toutes les inepties, folies et méchancetés de mon éducation avaient fait qu'une partie de moi s'appelait des « parties honteuses » ; or, celles-ci devenaient honorables et à honorer. J'avais perdu ma ceinture de chasteté sans savoir que j'en avais une. Mon sexe faisait partie de ma vie. Je me sentais entière – normale, tout simplement.

Il est vai que la sexualité est l'une des activités humaines les plus difficiles à vivre, car elle engage la partie la plus intime de nous-même à être en contact avec l'intime de l'autre. La mise en place de cette communication n'est pas magique. Elle implique un gros travail de remaniement de soi qu'il faut prendre au sérieux pour que la rencontre puisse se produire et évoluer.

CHAPITRE PREMIER

Nous aimons les hommes
comme nous aimons nos mères

« Avec l'homme que j'ai aimé, raconte Thé-rèse, je me mettais naturellement totalement en lui, en tout amour. Pour moi, c'était cela être une femme qui aime son homme. Je me revois tellement heureuse mariée à lui. Dans ses bras, assise sur ses genoux, il me racontait des histoires en m'embrassant. C'était mon prince charmant. Je riais. Mon corps était nourri de cet amour. Je ne connaissais tellement rien au fonctionnement de la sexualité qu'en me fondant en lui, je pensais que c'était cela faire l'amour. Je ne vivais que par lui. Je retenais ma respiration quand je l'entendais monter les escaliers. J'étais dans mon cœur, en permanence, déjà comblée, avant même que nos corps ne s'effleurent. Je le lavais dans le bain. J'étais dans un bonheur total, mais jamais dans mon sexe ni dans le sien. Nous nous pensions adultes, responsables, mais nous n'étions que des enfants. Au fond, sans le savoir, nous jouissions, dans des rôles interchangeables, de la qualité de l'amour que l'enfant porte à sa mère. Je n'avais pas de plaisir sexuel quand il me pénétrait. Celui que j'y prenais était la reproduction du modèle de tendresse de mes rapports à ma mère. »

Voilà le piège, la difficulté et le malentendu de l'amour. Il nous reconnecte avec force aux émotions, sentiments et qualités du lien affectif de notre première histoire d'amour, celle qu'enfants nous avons tous et toutes connue avec notre mère. Ce lien peut être si puissant qu'il empêche d'avoir accès à la différence sexuelle de l'homme aimé. Dans ce cas, la force du lien de l'amour nous fait confondre l'amour porté à l'homme qu'on aime avec l'amour qui nous relie à la mère. Tant qu'on aime son homme comme on a aimé sa mère, la femme que l'on devient n'est toujours pas sexuée. C'est ainsi que les femmes peuvent aimer les hommes sans aimer leurs sexes. Elles les aiment, mais n'ont aucun désir d'être pénétrées.

Le premier objet d'amour

Au début de la vie, notre mère était la totalité du monde, et ce monde est celui dans lequel nous nous sommes construites. Avant de savoir nous différencier de notre mère, parler et dire « je », elle est notre « tout ». Nous nous sommes insérées en elle pour faire corps avec elle. Passivement, nous nous sommes nourries d'elle. Or, c'est la mémoire de cette période d'inclusion durant laquelle, enfants, nous vivions totalement dans l'espace psychique, géographique et énergétique de notre mère que nous reproduisons au travers du don et de l'abandon à l'homme aimé. Dès qu'un homme devient notre « tout », dès qu'on s'engage pour un partage de vie parce que c'est lui qu'on est intimement heureuse d'avoir rencontré, cela nous fait retrouver l'époque où nous n'étions pas séparée de notre mère. La relation charnelle renvoie obligatoirement à cette situation[1]. Nous en avons la mémoire, l'empreinte. L'amour est la répétition de cette expérience affective que tout enfant, dès sa conception, garçon ou fille, a connue avec sa mère, dans la dépendance totale. Cette situation qui nous a permis d'être vivant, nous la « re-contactons » dans l'amour. La mère avait à charge de nous assister, de nous porter, de nous nourrir et d'assurer tous nos besoins vitaux. Cet homme que nous aimons vient prendre en nous la place qu'occupait notre mère. Nous en devenons donc complètement dépendante.

---

1. Voir Didier Dumas, *Et si nous n'avions toujours rien compris à la sexualité ?*, Paris, Albin Michel, 2004.

Aimer comme un enfant

Avec notre mère, nous faisions corps à deux, nous vivions dans le même espace psychique sans qu'il y ait besoin de paroles pour se comprendre, puisque, à cette période de la vie, la communication est, chez l'enfant, de nature télépathique[1]. Si cette symbiose se reproduit à l'identique et occupe toute la place, la femme n'a plus besoin de se sentir confrontée au désir d'être épaulée et au plaisir d'épauler un homme. Comme Thérèse le raconte si bien, elle se fond totalement en l'homme qu'elle aime pour retrouver le bonheur de la fusion déjà connue avec sa mère, restant ainsi dans l'espace du même et du semblable.

Pouvoir se donner totalement à l'homme qu'on aime, s'abandonner à lui, est ce rappel où l'on retrouve la totale confiance du bébé en sa mère qui se lovait en elle. Mais c'est aussi de cette façon qu'on annihile la différence des sexes, en le voulant semblable à soi. Vouloir, par exemple, que l'homme aimé nous comprenne et nous comble sans que nous ayons rien à dire fait référence à la période où la toute petite fille ne

---

1. C'est la période de la dyade mère-enfant où l'enfant se construit en dupliquant les structures mentales des gens qui s'occupent de lui. Il est tout à la fois : moi ma maman, moi mon papa, moi mon petit frère, moi ma nounou. Voir, *infra*, les pages que je consacre à la construction de la petite fille.

parlait pas encore avec des mots. Elle s'exprimait déjà dans un « langage » d'intonations, d'appels, de mimiques, en grande partie calquées sur celles de la mère, ce qui lui permettait de se faire comprendre. La magie d'être comprise sans avoir besoin de mots pour le dire et le plaisir qui en découle proviennent de cette époque de la vie. Vouloir être comprise de l'homme qu'on aime sans avoir besoin de s'exprimer avec des mots consiste donc à s'en remettre à lui, en lui demandant de nous comprendre comme une mère.

« Mais je ne suis pas dans ta tête ! Tu me demandes la lune sans la nommer, et moi je suis un soleil ! » crie un homme à sa bien-aimée pendant une dispute d'amoureux.

Dans la vie à deux, les amants recréent un espace commun qui rejoue le duo grâce auquel ils se sont construits. Si alors la relation sexuelle n'est pas reconnue comme un voyage qui conduit au-delà de l'étreinte vécue avec leur mère, hommes et femmes demeurent dans la tendresse. Ils se réchauffent le corps, le cœur et apaisent leur esprit sans comprendre pourquoi le sexe n'est pas entraîné dans la danse. Ils s'aiment, mais ils ne savent pas qu'ils ne sont pas sortis du mode de fonctionnement de l'enfant. Ils sont heureux d'être ensemble, ils s'abandonnent l'un à l'autre, mais, ne sachant que recréer ou réparer l'étreinte vécue avec leur mère, ils s'enferment dans la symbiose et ne sont plus dans la construction dynamique de leur statut d'adulte.

Ne nouer avec les hommes que nous aimons que des liens d'amour et de tendresse recrée obligatoirement de la dépendance. L'inertie qui en découle fait non seulement perdre à la femme ses initiatives, mais engendre aussi une disparition de son désir sexuel d'être pénétrée. La flèche du temps s'étant ainsi inversée, nous retombons en enfance dans un érotisme qui peut être libre, ludique et délicieux, mais qui reste éternellement en surface.

« Que je puisse confondre mon mari et mon père, moi qui n'y connais rien à la psychanalyse, j'aurais pu m'en douter. En tout cas, je peux l'imaginer. Mais que je puisse confondre mon mari et ma mère, ça, je n'y aurais jamais pensé », me disait une cliente.

Les conceptions de la psychanalyse qui se répandent dans le social depuis un certain nombre d'années mettent surtout l'accent sur le fait qu'une femme va rechercher dans sa vie amoureuse un homme qui ressemble au père qu'elle a aimé ou à celui qu'elle aurait voulu aimer. C'est tout à fait vrai, mais cela concerne la période de vie de la petite fille à partir de ses trois ans. Avant cela, il existe une période de construction antérieure à nos trois premières années de la vie où la petite fille se construit dans le corps à corps affectif avec la mère. C'est alors que les hommes que nous choisirons auront plus tendance à nous séparer de nos mères que de ressembler à nos pères. Mais cela ne nous empêchera pas de les aimer aussi comme nous avons aimé nos mères !

La femme et la mère en nous

« Lorsque j'ai eu mon enfant, me disait Françoise, une autre cliente, je confondais la mère et la femme en moi. Je ne savais pas que ce n'était pas la même chose. Aucune femme ne m'avait dit que ce n'était ni les mêmes pensées ni les mêmes sensations et émotions qui animaient la mère et la femme. Pour moi, la femme et la mère avaient toujours été confondues. J'étais persuadée qu'une mère était forcément une femme, ou plutôt qu'elle le devenait, en devenant mère. Je me disais que si nos mères n'avaient pas été heureuses dans leur vie de femme, c'est qu'elles avaient été accablées de tâches maternelles. Je n'avais jamais rencontré de femmes qui considèrent la sexualité comme une force de régénération de sa dynamique personnelle. J'attendais, confiante, l'expansion sexuelle de la femme maternante que j'étais. Je pensais qu'il fallait juste améliorer le système qui m'avait éduquée, mais je ne savais pas qu'il fallait considérer les choses tout à fait autrement. Dans ma famille, la sexualité n'était pas ouvertement interdite, elle n'existait pas. C'est seulement maintenant que je découvre que le plaisir sexuel me fait du bien, me donne confiance, me fait exister et me propulse. »

Pour Françoise, la sexualité n'était pas interdite, elle était méconnue dans sa dimension adulte. Le manque d'éducation sexuelle n'empêche pas une histoire d'amour de se nouer, pas plus que cela n'empêche de faire des enfants. Si cette histoire d'amour opère une ouverture du cœur, elle n'ouvre pas automatiquement le sexe. Elle ouvre aux caresses, aux baisers, à la tendresse. Elle soulève des sensations et émotions de confiance et de partage qui sont les mêmes que celles du petit enfant porté, lavé, changé et caressé par sa mère. On y emploie d'ailleurs les mêmes mots doux : « mon chouchou », « mon doudou », « mon bébé », « mon nounours ». Ces paroles nous bonifient, nous rassurent, mais si l'on en reste là, au lieu de s'affirmer dans l'âge adulte, on régresse sans réaliser ni comprendre pourquoi la sexualité n'est pas réellement au programme de notre vie, ou plutôt pourquoi on ne réussit pas à la vivre vraiment.

Pourquoi régresse-t-on quand on aime ?

Chaque étape de notre vie qui nous fait avancer provoque une émotion qui nous déstabilise. La régression est un processus naturel qui nous permet de retrouver du « déjà connu », un contexte affectif antérieur, pour renouer avec la confiance. Nous pouvons reprendre pied, nous sommes alors rassurés et reprenons des forces pour nous ressaisir et nous stabiliser à nouveau. La régression donne la possibilité de retrouver en nous un socle suffisamment stable qui, nous redonnant une sécurité de base, nous permet de pouvoir rebondir. Elle fait du bien, elle soigne. C'est « reculer pour mieux sauter ». Dans l'amour, régresser nous permet de « re-contacter » notre peau de bébé. Retrouver la totale confiance du bébé en sa mère afin de pouvoir, en toute tranquillité, s'ouvrir au nouveau monde que nous avons envie de construire avec l'homme aimé.

Que l'on soit un homme ou une femme, c'est donc d'avoir eu une mère aimante et sécurisante qui permet de se donner à l'autre.

Ce n'est donc pas cette qualité d'amour inconditionnel, total et confiant qui est à remettre en cause ou à exclure. L'amour d'un homme remet en scène la puissance de l'amour qu'on a eu pour ses parents, et c'est ce qui lui donne son intensité. L'important est de se rendre compte que l'amour maternel n'est suffisant ni à l'épanouissement de notre vie adulte ni au bon fonctionnement de notre couple. L'amour adulte inclut la « vivance » de son sexe et fêter la rencontre des sexes, cela s'apprend.

L'amour maternel n'est pas sexué

« Je n'ai pas manqué d'amour, j'ai manqué d'instruction, me disait Corinne, une femme du même âge que moi. Par ignorance, je suis restée avec les hommes que j'ai aimés dans l'amour maternel. J'ai aimé des hommes en les aimant comme une mère. En vieillissant, je me rends compte que, dans un couple, rester dans l'amour maternel conduit, à plus ou moins long terme, à des abus et des déchirures. Chacun revendique sa part et tout le monde est blessé. »

Se retrouver à vivre sous le même toit recrée l'espace commun de l'amour maternel. Devenir soi-même le soutien, l'assistant, le réconfort de l'homme aimé va favoriser une autre confusion de l'amour. La femme qui aime son homme comme sa mère va se mettre à l'aimer aussi comme son enfant. Qu'elle ait eu une mère abusive et intrusive, ou une mère absente et perdue, elle va, à plus ou moins court terme, emboîter le pas au modèle qui lui est familier. Elle va devenir envahissante ou, au contraire, absente, ou plutôt : et intrusive et absente !

Le grand piège du maternel est alors de tout savoir pour l'autre. Soit la femme se met à traiter l'homme aimé comme un enfant (« Ne rentre pas trop tard, ne prends pas froid, fais attention »), soit elle sait pour lui comment il doit se comporter. C'est ainsi que, sans le savoir, Corinne s'est comportée avec son premier mari : « Comme

28

nous ne formions qu'un corps à nous deux, je pensais que je connaissais son propre fonctionnement. Je n'avais pas besoin de lui pour savoir pour lui. Ma mère se comportait de cette façon avec mon père. Je n'avais pas compris que cette attitude insupportait mon père et le faisait fuir. Je me découvrais beaucoup plus intrusive que je ne le croyais, moi si douce et si respectueuse... »

Ce sont en effet ces comportements envahissants qui bloquent le désir et font que les hommes se rétractent comme des escargots. Les individus ne peuvent se désirer que s'ils sont séparés. On peut être l'un pour l'autre un soutien, un assistant, un réconfort, cela fait partie de l'amour, mais cet amour doit permettre à l'un et à l'autre de respirer et d'exister comme ils le souhaitent.

Confondre l'homme aimé avec une mère ou avec un enfant, cela revient au même : le désir sexuel disparaît. Pour que le couple se déploie, se propulse et acquière de la maturité, l'homme et la femme ont besoin de s'apprécier dans la valeur de leurs différences.

Mais ce ne sont pas les qualités maternelles de la femme qui mettent en danger le couple, c'est la façon dont elles vont envahir tout l'espace de la vie commune et annihiler la sexualité. Le maternel a besoin d'être dynamisé par le féminin pour rester généreux.

« Dans ma famille, dit encore Corinne, on encensait les mères et respectait les pères, mais les hommes et les femmes n'existaient pas. On ne devenait pas homme ou femme. Les parents restaient éternellement des filles ou des fils de leurs propres parents, ils étaient asexués. » Dans cette ambiance où « tout le monde était le tout de tout le monde », comment la petite fille qu'elle était pouvait-elle se repérer ?

En étant heureuse d'être mère et en lui donnant un père heureux de l'être, la mère ouvre à sa fille l'accès à sa future maternité. En se sentant femme et heureuse de l'être, dans l'échange et le plaisir sexuel avec l'homme qu'elle aime, la mère permet à sa fille de se doter d'un avenir de femme jouissante et créative dans sa vie sexuelle.

L'amour maternel n'est pas sexué. C'est en cela qu'il est nécessaire à l'enfant. Adulte, en revanche, nous avons besoin de considérer et de faire vivre notre anatomie pour nous régénérer et évoluer. Notre sexe est une source de vie dont la fonction est de nous rendre autonome en nous séparant de notre famille et de nous propulser pour que nous devenions nous-même. Si nous n'utilisons pas la sexualité pour nous alimenter, une partie de nous restera toujours « petite fille » et sera comme une enfant malheureuse et insatisfaite puisque inachevée. C'est comme s'il était impossible que l'amour d'un homme puisse égaler ce que l'on a connu ou ce que l'on aurait dû connaître avec sa mère.

CHAPITRE II

Le sexe vivant :
une anatomie dynamique

La circulation des énergies sexuelles

« Aujourd'hui, me dit Catherine, je viens pour une leçon d'anatomie. J'en ai marre de mes cystites[1]. » Bien que Catherine vienne me consulter depuis quelque temps déjà, je ne m'étais pas rendu compte qu'elle n'avait aucune représentation de son corps ni du fonctionnement de celui-ci.

À l'aide d'un mannequin et de schémas, je lui fais donc un cours d'anatomie. Je lui montre le petit bassin et les différents organes contenus dans cette cavité qui est la base de notre corps. Elle est fermée en bas par un muscle puissant et complexe, le périnée, qui, en chinois, est appelé « muscle des ancêtres ».

---

1. Cystite : inflammation de l'urètre et de la vessie qui donne toujours envie d'uriner.

Sur une coupe de profil, je désigne à Catherine les parties qui la font souffrir, la vessie et son canal excréteur, l'urètre, et les rapports qu'ils entretiennent avec le vagin, l'utérus et le clitoris. Je lui montre comment l'urètre est contigu du vagin, juste en dessous du clitoris, la vessie étant située à l'avant de l'utérus, et j'explique : « L'excitation sexuelle, qui est une énergie du feu de la vie, empiète obligatoirement sur l'appareil urinaire. Quand cette énergie peut circuler comme elle se doit, que la femme est sécurisée et confiante en elle-même pour se laisser aller au plaisir de la rencontre, cette énergie, spontanément attirante et accueillante, passe naturellement par le vagin pour se rendre dans l'utérus. Lorsque cette énergie sexuelle est déviée par un manque d'éducation, le cours naturel de cette énergie stagne ou s'inverse et cela donne des maladies infectieuses. » Catherine me le confirme : « J'ai remarqué que mes cystites arrivent souvent quand je reviens de voir ma mère ou que je ressens encore comme une honte à désirer faire l'amour. Elles ont été maximales quand je me suis réellement engagée avec Christian. J'ai passé tout l'été de notre voyage de noces, si je puis dire, à mettre des couches ! »

Dans la cystite, toute l'énergie sexuelle reste focalisée en dehors du sexe. Au lieu de pouvoir remonter dans le vagin et l'utérus, elle remonte dans l'urètre et la vessie. Rien d'étonnant à ce que Catherine ait très mal : ses symptômes la séparent de son lien amoureux. Qu'elle aime Christian ne fait aucun doute, et cette séparation n'est pas sentimentale, elle est émotionnelle : elle apparaît automatiquement dans un certain contexte affectif. Aller voir sa mère ou l'inverse, s'en séparer en épousant Christian, la reconnecte à de l'énergie mère-fille qui la déstabilise émotionnellement. Catherine régresse alors à l'état de « fille ». Elle ne sait même plus qu'elle a un sexe, elle est redevenue « une pisseuse » qui a passé son voyage de noces comme une petite fille, agitée en permanence par son envie d'uriner, au lieu de pouvoir faire l'amour avec son bien-aimé.

Sa cystite l'empêche de vivre sa sexualité. Elle lui interdit d'être une femme qui s'autorise à vivre sa jouissance. Bien sûr, ce n'est pas un choix conscient. La cystite témoigne, à son insu, que Catherine n'est pas sortie de sa construction énergétique première, celle qui lui a été transmise par sa mère et les femmes de sa famille, pour lesquelles le plaisir ne se vivait pas. Catherine ne manque ni de désir ni d'énergie sexuelle. Si cette énergie n'était pas là, elle ne sentirait rien du tout. Elle est présente, mais elle est déplacée et inversée. Elle se retourne contre elle dans l'appareil urinaire, elle brûle, lui fait mal et l'empêche de s'ouvrir à sa vie de femme.

Catherine me fait comprendre que je devrais faire plus souvent des leçons d'anatomie. Lorsque j'avais son âge, j'avais aussi besoin de savoir comment fonctionnait mon corps. L'anatomie descriptive que j'avais apprise pendant mes études restait un support inerte pour ma vie de femme. Je savais comment j'étais faite, comment j'ovulais, comment mon corps se modifierait pendant la grossesse, je connaissais le processus de l'accouchement, mais je ne savais pas comment ce sexe pouvait s'animer pour faire partie de moi, ni comment il fonctionnait avec l'autre dans le plaisir. C'était une anatomie du maternel. C'est avec mes études d'acupuncture que l'anatomie est devenue un outil précieux, vivant et dynamique, me permettant de comprendre que c'est la circulation de l'énergie de la vie en moi qui anime ce corps physique.

J'ai alors appris à percevoir la circulation des flux d'énergie, à explorer ceux-ci, à comprendre et réparer le fonctionnement interne de mon corps en contactant psychiquement les zones malades afin d'y rétablir ou installer un fonctionnement énergétique adéquat. Ce fut une découverte, toute une pratique pour installer le processus – et cela continue toujours.

L'amour et les sentiments ne suffisent pas à faire vivre notre sexe. Aimer un homme ne supprime pas les émotions emmagasinées dans l'enfance ou avant la naissance sous forme d'interdits et d'inhibitions, qui y font barrage. En matière de plaisir et de jouissance sexuelle, l'héritage catastrophique que nous ont transmis nos mères, incapables de nous expliquer ce qu'est une femme[1], est toujours actif. La femme, encore aujourd'hui, continue de méconnaître son sexe. Elle a toujours peur du sexe de l'homme. Par peur de lui être soumise, elle n'ose pas y voir un objet de plaisir à découvrir et à honorer, alors qu'il est évident que les sexes sont faits pour s'emboîter, et que cet emboîtement procure du bienfait et fête la vie.

C'est la médecine chinoise traditionnelle et son érotique qui m'ont appris le fonctionnement du corps sexué, fait découvrir mon corps de femme et les processus de l'échange amoureux : « l'art de l'alcôve », comme disent les textes[2]. La civilisation taoïste de la Chine ancienne conçoit la sexualité comme une hygiène de vie autant physique que mentale. L'énergie sexuelle qui est contenue et élaborée par les ovaires et les testicules est un de nos grands réservoirs d'énergie vitale.

En sachant contacter cette énergie, nous apprenons à nous régénérer pour entretenir les forces dont nous avons besoin pour vivre : assurer notre santé, permettre à nos idées d'être

---

1. Voir Didier Dumas, « L'origine des troubles sexuels du monde occidental », in *Et si nous n'avions toujours rien compris à la sexualité ?*, Paris, Albin Michel, 2004.

2. Mantak Chia, *Le Tao de l'amour retrouvé. L'énergie sexuelle féminine*, Paris, Guy Trédaniel, 1990 ; Jolan Chang, *Le Tao de l'art d'aimer*, Paris, Calmann-Lévy, 1977 ; Catherine Despeux, *Immortelles de la Chine ancienne*, Paris, Pardès, 1997.

claires et repousser les maladies, le principe de base de la médecine chinoise étant que « sans sexualité, l'esprit ne peut s'épanouir[1] ». Cette façon d'attribuer une place centrale à l'énergie sexuelle dans la santé a été pour moi une révélation. Elle a confirmé ce que je ressentais intuitivement, mais m'a surtout offert un outil permettant d'améliorer ma vie et celles des femmes.

Le taoïsme est, à ma connaissance, une des rares traditions qui ait aussi précisément décrit le processus de la rencontre des sexes et les trajets à travers lesquels circule l'énergie sexuelle. Quand nous faisons l'amour, l'énergie sexuelle circule dans les mêmes réseaux d'énergies que ceux qui servent à entretenir quotidiennement notre vie, mais elle utilise aussi des réseaux de vaisseaux dits « extraordinaires », à visée génito-urinaire, qui font référence à une construction plus ancienne, celle du stade embryonnaire[2], et qui servent à la régulation et la régénération de tout notre être.

De cette manière, nous consolidons, remodelons et fortifions notre structure originelle. Cela

---

1. Telle est la réponse qu'une immortelle, Su Nü, fit à l'Empereur Jaune qui lui demandait si l'on ne pourrait pas se passer de sexualité tellement cette histoire lui semblait compliquée.

2. Catherine Despeux, *Taoïsme et corps humain*, Paris, Guy Trédaniel, 1994.

nous confirme dans notre sentiment d'exister, et c'est cette confirmation qui fortifie, tranquillise et sécurise en réinstallant les amants dans le « génie de leur sexe[1] ». Si notre sexe, son anatomie et son fonctionnement restent des énigmes qui bloquent la rencontre, alors la sexualité possède toujours, comme le disait une cliente, un « caractère aléatoire ». Le désir sexuel surgit d'une façon imprévisible. On a du plaisir à échanger ses forces sexuelles. On sait que c'est possible, mais on ne sait pas l'intégrer dans un processus évolutif et encore moins l'explorer. Parler d'un sexe féminin vivant qui ne soit pas celui de la reproduction, c'est lui permettre d'être animé dans ses fonctions de plaisir et de jouissance afin de savoir qu'il fait partie de soi et être heureuse d'être une femme.

La place de l'utérus
dans la jouissance sexuelle

La communication charnelle est une ouverture à l'autre et une réception des forces sexuelles de chacun. Comme les énergies féminines sont attractives et réceptrices (elles attirent à l'intérieur de soi) et que les énergies masculines sont émettrices (elles se propulsent à l'extérieur),

---

1. Voir Françoise Dolto, *Sexualité féminine. La libido génitale et son destin féminin*, Paris, Gallimard, 1997.

l'alchimie de la sexualité vient de l'union de ces deux forces qui, comme le disent les Chinois, se « compénètrent[1] » dans l'amour. L'organe central de réception de l'énergie sexuelle de la femme n'est pas son vagin, mais son utérus.

L'utérus a une double fonction. Il est la matrice qui sert à la création et la mise en forme d'un nouvel être, mais il est aussi, pour la femme, le lieu d'une autocréation évolutive, celle que les Chinois considèrent indispensable au développement de l'esprit. L'utérus est, à ce niveau, le « chaudron alchimique », la caisse de résonance dans laquelle se rencontrent et s'unissent les forces féminines et masculines. Savoir réceptionner la force sexuelle de l'homme dans son utérus amène en effet à une véritable recréation de soi et de l'autre, sans cesse renouvelée. Pour cela, le corps de la femme doit permettre aux énergies masculines de franchir le col de l'utérus. Or, d'une façon semblable à ce que nous avons vu pour la cystite, la méconnaissance de ce processus et le manque d'éducation sexuelle font que, pour un grand nombre de femmes, les énergies se bloquent dans le fond du vagin en y provoquant de très vives douleurs.

Quand un sexe est vivant, il vibre. Le plaisir consiste alors à ressentir ces vibrations produites

---

1. « Compénétrer » est une traduction de l'idéogramme TONG qui exprime le mode de rencontre du souffle féminin et du souffle masculin.

par la rencontre des deux sexes qui font que « le courant passe ou ne passe pas ». S'il passe, il s'établit une communication entre les deux, semblable à la circulation d'un courant électrique d'un pôle positif à un pôle négatif. Le ressentir, c'est percevoir comment les vibrations des forces du partenaire s'unissent à ses propres forces à l'intérieur de soi : comment les forces féminines et masculines se compénètrent, se mélangent et cherchent à s'ajuster pour résonner ensemble. Cette résonance permet aux forces sexuelles de chacun de s'unir dans la même fréquence, ce qui harmonise les énergies hors soi et en soi et décuple le plaisir jusqu'à un pic maximal : l'orgasme.

La vocation de l'énergie étant de circuler, si l'on ne se bloque pas, les forces sexuelles ainsi unies continuent leur chemin et envahissent l'intérieur des corps, voyagent de l'un à l'autre, nourrissent les organes, redressent la colonne vertébrale et remontent au cerveau jusqu'aux orifices du nez, de la bouche, des yeux et des oreilles. Arrivés à la tête, les souffles sexuels opèrent une vidange des encombrements et clarifient l'esprit. On se sent alors plus complet, réunifié, revitalisé. On est l'un et l'autre confirmés dans l'amour que l'on se porte mutuellement. C'est cela qui régénère et agrandit.

Le clitoris, l'hymen et le vagin

Poursuivons ce voyage dans l'anatomie de la femme. Cette anatomie est ainsi faite que la plus grande partie du sexe se trouve à l'intérieur du corps, la vulve n'en n'étant que la surface apparente. Si on la regarde de face, la vulve est une fente longitudinale délimitée par les grandes lèvres. Si on écarte celles-ci, la fente est circonscrite par les petites lèvres qui se réunissent en haut pour coiffer le clitoris, et en bas, juste à l'avant de l'anus, dans le noyau fibreux central du périnée. On l'appelle aussi la bouche vaginale, car les petites lèvres qui entourent l'orifice du vagin sont constituées de tissus semblables et ayant la même fonction que ceux de notre bouche. Pour que le sexe de la femme soit accueillant, il doit être mobilisé et concerné. Sinon, il est sec, fermé, insensible et fait mal aux deux partenaires. Sous l'emprise de l'excitation, il devient chaud et humide. Pour ce faire, une multitude de glandes, dont celles de Bartholin, qui tapissent les muqueuses, sont sollicitées pour sécréter leur substance lubrifiante. C'est pourquoi l'on dit que les femmes « mouillent ».

Le **clitoris** est un bouton érectile qui est aussi appelé un « gland », comme la tête du sexe masculin. Il est encapuchonné sous le pubis par la réunion des petites lèvres. Fabriqué d'un tissu spongieux qui se gorge de sang quand il est excité, il est érectile et change alors totalement de taille. Très sensible, c'est un haut lieu de la jouissance de la femme. Le plaisir provoqué par sa caresse participe à la lubrification de la vulve, mais pas toujours au désir d'être pénétrée. Sa stimulation par le geste et un scénario d'images ou de paroles génère un plaisir orgasmique qui harmonise tout le corps. Ce plaisir est d'une telle intensité que certaines femmes s'y fixent et s'y concentrent parfois si fort qu'elles peuvent en conclure qu'il est le lieu du plaisir maximal de la femme.

Les femmes ne sont pas clitoridiennes ou vaginales. En réalité, il s'agit de deux formes de jouissance différentes qui n'ont pas les mêmes effets mais qui sont complémentaires. La jouissance clitoridienne permet une harmonisation de ses propres énergies que l'on perçoit comme la sensation de se sentir soudainement plus vivante. C'est une jouissance qui nous met en communication avec nous-mêmes et nourrit notre sentiment d'exister. La jouissance provoquée par la pénétration du sexe de l'homme est produite par la rencontre des forces énergétiques masculines et féminines qui, en s'unissant, vont permettre à chacun de se reconstituer. C'est la jouissance d'être, en même temps, avec soi et avec l'autre. Toutefois, pour pouvoir être avec l'autre, il faut d'abord savoir être avec soi. Sinon, on se met dans l'autre, on n'arrive plus à comprendre que l'autre est différent, et si l'on ne comprend pas cela, on ne peut plus appréhender le partenaire comme notre complément.

« Je n'ai plus honte de ma jouissance clitoridienne. C'est vraiment formidable de ne pas avoir honte d'un organe qui fait partie de moi », me disait Élisabeth, à la fois soulagée et émerveillée quelque temps après que nous en ayons parlé. De quoi avait-elle honte ? Elle avait honte de ressentir du plaisir en touchant son propre sexe. Elle pensait que c'était inconvenant, qu'il ne fallait pas contacter cette jouissance-là. C'était une transgression, elle n'avait pas le droit de ressentir ni de se procurer ce plaisir puisqu'elle n'en n'avait jamais entendu parler.

La jouissance clitoridienne se découvre soit seule dans l'enfance avec la masturbation, soit avec une copine ou un copain lors d'explorations du fonctionnement du sexe, soit au début de la sexualité avec un amoureux. Dans le cas d'Élisabeth, la honte signale non seulement que la fillette n'a reçu aucune éducation sexuelle, mais aussi la manière dont cette petite fille puis cette femme protège toujours le mutisme de son éducation en n'en parlant à personne. Je suis la première femme dans sa vie à qui elle ose en parler alors qu'elle est déjà une jeune grand-mère.

L'**hymen** est la frontière entre les parties externes et internes du sexe. C'est un renforce-

42

ment de peau qui forme un anneau plus ou moins serré autour du vagin qu'il ferme partiellement. Contrairement aux croyances, ce n'est pas une membrane fermée. Si c'était le cas, les règles ne pourraient pas s'écouler avant les premières relations sexuelles. L'élasticité et l'extensibilité de l'hymen font que certaines femmes perdent leur virginité sans déchirure ni aucun saignement. Cela dépend de la façon dont on a pu permettre à son corps d'être impliqué dans l'événement. Perdre son pucelage ou se faire déflorer, c'est quitter l'enfance, c'est franchir la porte qui inaugure sa vie de femme. C'est une mutation.

Dans notre société occidentale, il n'y a pas si longtemps que cela, il fallait se marier vierge pour être une femme respectable. Dans certaines religions, c'est encore et toujours d'actualité. Dans les années 1970, le mouvement de libération sexuelle a largement contribué à abolir cette pratique. Mais lorsqu'on considère l'inhibition actuelle des jeunes filles à oser démarrer leur vie sexuelle, on se rend compte que les interdits ancestraux qui, à mon époque, pesaient sur la sexualité sont loin d'être dissous.

« Malgré mon appréhension, me raconte Marie-Pierre, qui vient d'avoir dix-neuf ans, j'ai décidé de faire l'expérience de la sexualité avec un partenaire de mon choix. Au début, ça allait, mais arrivée au moment de la pénétration, je me suis retrouvée complètement bloquée. J'avais beau le vouloir, j'étais fermée, impénétrable. Je me disais que, pour être libre de faire l'amour avec lui comme je le voulais, il aurait fallu me couper la tête ; je m'étais absentée de mon désir. Il était patient et nous sommes arrivés tant bien que mal à nos fins. Je me suis dit : "Ouf ! C'est fait ! Je ne suis plus vierge." Je n'étais pas mécontente, mais pas très joyeuse non plus. »

Voilà comment s'est soldé pour Marie-Pierre ce moment tant attendu. Certes, son corps physique a pu se faire pénétrer par le sexe d'un homme, mais son corps de sensations, c'est-à-dire son corps énergétique, s'est anesthésié en même temps que son désir pour lui. Elle s'est retrouvée obsédée par son blocage. Son corps de sensations a résisté et son désir n'a pas gagné.

Le **vagin** fait suite à l'hymen à l'intérieur du corps. C'est un conduit souple et élastique qui se termine par un cul-de-sac en forme de collerette qui entoure le col de l'utérus. Il est constitué de fibres élastiques et plissées, ce qui lui permet de s'ajuster à la forme du pénis qu'il reçoit et de se distendre pour laisser passer la tête ou une autre présentation du fœtus au moment de l'accouchement. Le reste du temps, il est fermé : ses parois se touchent. Celles-ci sont, comme l'intérieur de la bouche, recouvertes d'une muqueuse parsemée de glandes servant à sa lubrification. C'est le lieu où s'effectue la rencontre des sexes, et le plaisir qu'on y ressent ne résulte pas uniquement des mouvements ou frottements du vagin et du pénis, mais d'une « interrelation » énergétique et psychique qui les implique tous les deux sous forme de flux vibratoires.

L'utérus, les trompes et les ovaires

L'**utérus** est un muscle creux très puissant. Il comprend deux parties : le corps et le col.

Le col de l'utérus est un cylindre musculaire creux qui possède une double entrée. Dans un sens, il laisse passer les règles et l'enfant ; dans l'autre, les spermatozoïdes et l'énergie sexuelle masculine. Au moment de l'ovulation, sous l'influence des hormones, le col s'entrouvre et sécrète un mucus abondant, la glaire cervicale. Cette « glaire » est le véhicule indispensable à la remontée des spermatozoïdes dans les trompes et l'utérus. D'ailleurs, une des causes d'infécondité des femmes provient d'un manque de sécrétion de glaire ou encore de la fabrication d'anticorps antispermatozoïdes contenus dans la glaire cervicale. Dans l'amour, savoir spontanément ou non laisser passer l'énergie sexuelle par le col de l'utérus, c'est, comme nous l'avons vu, une affaire d'éducation et de transmission. Plus tard, ce sera une histoire d'apprentissage.

Le corps de l'utérus est un organe mobile qui est suspendu dans la cavité pelvienne par des ligaments suspenseurs qui lui permettent de se déployer pendant la grossesse. Il mesure cinq à six centimètres de haut, quatre à cinq centimètres de large, et pèse cinquante grammes. Sa capacité va de deux à trois centilitres en temps normal jusqu'à quatre ou cinq litres en fin de grossesse. Sa surface intérieure se tapisse, sous l'influence des hormones, d'une muqueuse gorgée de sang, de sucre et d'oxygène qui repousse tous les mois afin de préparer le nid du futur embryon. S'il n'y a pas eu de fécondation, il s'élimine alors sous forme de règles. Saigner, pour une femme, n'est pas une blessure, c'est à la fois le témoignage de son absence de fécondité et celui de sa féminité.

Les **trompes** sont des conduits flexibles et fins qui partent des cornes de l'utérus et se terminent par un pavillon frangé, au-dessus des ovaires. Les franges du pavillon et la sécrétion de mucus leur permettent de capter l'ovule au moment de l'ovulation. C'est là que la fécondation a lieu. La pénétration du spermatozoïde dans l'ovule est immédiatement suivie du phénomène de la division cellulaire. Ensuite, l'œuf fécondé y voyage pendant près de trois jours avant d'arriver dans la cavité utérine. Les trompes forment donc des conduits de liaison entre les ovaires et la cavité utérine ; elles gèrent les passages. Mais comme nous le verrons à propos des pathologies de lignée, les trompes ne gèrent pas n'importe quels passages. Dans les grossesses extra-utérines, par exemple, la fécondation a bien lieu normalement dans la trompe, mais c'est la migration de l'œuf fécondé dans l'utérus qui ne s'effectue pas : le mouvement nécessaire à son transit est bloqué. Quelque chose empêche la trompe de faire son travail de passeur. Elle est sidérée, figée, car bien que la fertilité soit là, c'est le mouvement nécessaire au passage d'une génération à une autre qui ne se fait pas.

Les **ovaires** sont nos organes reproducteurs. Ils produisent non seulement les ovules, mais aussi les hormones sexuelles qui donnent à la future femme ses caractères sexuels « secondaires » : les poils, les seins, l'élargissement du bassin, le timbre de la voix et toute une allure sexuée. Contrairement aux spermatozoïdes, qui sont fabriqués et se renouvellent en permanence dans les testicules, les ovules sont préformés une fois pour toutes à la naissance. Plusieurs transformations seront nécessaires avant qu'ils atteignent leur complète maturité. Pendant l'enfance, un certain nombre d'entre eux dégénèrent sans arriver à maturation : de trois cent mille à la naissance, ils passent à deux cent mille à la puberté. Ensuite, tous les mois, au démarrage d'un nouveau cycle qui correspond au début des règles, une dizaine d'ovules environ amorcent leur processus de maturation sous l'influence des hormones, tandis que d'autres dégénèrent. Un seul ovule arrivera à maturation complète, sauf dans le cas des « faux jumeaux ». On peut ainsi comparer les ovaires à une banque qui détient un stock d'ovules dont elle libère tous les mois une certaine quantité, alors que les testicules des hommes ressemblent plutôt à des usines qui, à partir de cellules germinales, fabriquent sans cesse des spermatozoïdes.

À la ménopause, période comprise entre quarante-cinq ans et cinquante-cinq ans, la femme s'arrête d'ovuler. Contrairement à ce qu'on pourrait croire, elle n'a pas épuisé complètement son stock d'ovules, mais son métabolisme, qui commence à se ralentir, fait en sorte que la fécondation ne devienne plus possible : la femme ne peut pas être mère à tout âge. Il lui reste encore une grande quantité d'ovules qui vont servir à sécréter le minimun d'œstrogènes indispensables à sa bonne santé si elle en informe énergétiquement ses ovaires.

« J'ai de la chance : malgré tous mes cancers, j'ai toujours envie de faire l'amour, me confie Mireille. Je n'ai jamais eu de sécheresse vaginale et sans aucune prise d'hormones puisque ces substances m'étaient interdites. » Elle me confirme donc que la ménopause n'est pas, comme on aurait trop tendance à le croire, la fin de la vie sexuelle de la femme. Toutefois, s'il est vrai que beaucoup de femmes témoignent d'une baisse de désir sexuel à cette période de la vie, c'est sans doute aussi que, sans le savoir, le désir était stimulé par le fantasme d'une maternité toujours possible, ou par la croyance encore entretenue que sexuellement une « vraie femme » n'est qu'une mère.

La commande hormonale

Toute la vie du système sexuel, la maturation des ovules, l'ovulation, le rythme des règles et leur abondance, la procréation, ainsi que le désir sexuel, sont sous la dépendance de la commande du cerveau. Cette régulation est non seulement hormonale, mais aussi neuro-hormonale. L'hypophyse, une glande située dans le crâne entre nos deux yeux, au niveau de ce que les médecines orientales appellent le « troisième œil », orchestre les informations. Il s'agit de gérer, d'une part, l'équilibre de la production hormonale, qui résulte de l'interaction entre l'hypophyse et les ovaires, et, d'autre part, le fonctionnement de l'hypophyse, qui est elle-même régie par des commandes nerveuses provenant d'autres parties du cerveau, en particulier l'hypothalamus et le cortex.

Ces derniers conditionnent la perception que l'on a de soi et du monde en fonction de notre histoire accumulée dans notre mémoire. C'est ainsi que nos états d'âme conscients et inconscients influencent la sécrétion de nos hormones. Les troubles hormonaux ne peuvent donc jamais être à l'origine des troubles qu'ils occasionnent, mais ils sont toujours la conséquence du contexte plus général de notre histoire singulière. Prendre des hormones pour subvenir à une insuffisance hormonale, cela permet de « soigner le symptôme » en supprimant provisoirement les troubles occasionnés, mais cela ne règle jamais définitivement l'origine du problème. Pour rétablir en profondeur l'équilibre hormonal, il faut opérer un remaniement psychique et affectif qui va faire que le cerveau donnera alors les informations adéquates à l'hypophyse pour produire les hormones en suffisance.

Le petit bassin, les hanches et le périnée

« Le bassin forme une ceinture osseuse entre la colonne vertébrale qu'elle soutient et les membres inférieurs sur lesquels elle s'appuie. Il a été modelé, d'une part dans les premières années de la vie, par la pression du poids de la partie supérieure du corps transmise par le rachis et, d'autre part, dès que l'on se met à marcher, par la "contre-pression", en provenance du sol sur lequel on se tient, transmise par les os du fémur des deux jambes[1]. »

Le bassin est formé par la réunion de quatre os : en avant et sur les côtés, les deux os iliaques ; en arrière, le sacrum et le coccyx, qui protègent notre zone sacrée. Ces os sont unis entre eux par quatre articulations, dont trois sont des symphyses, des articulations fibreuses qui donnent peu de mobilité aux os : les symphyses pubiennes et sacro-iliaques.

La zone de l'articulation entre la colonne vertébrale et le sacrum est particulièrement fragile. C'est la zone de la verticalisation de l'être humain. Les pathologies très fréquentes des lumbagos, sciatiques et hernies discales se révèlent par une hyperpression fulgurante à ce niveau, soit en se relevant brutalement, soit en portant une charge trop lourde à soulever sans savoir tenir sur ses pieds. Au lieu de se répartir jusque dans les jambes pour qu'elles nous soutiennent, tout le poids du corps se bloque au bassin et écrase le disque intervertébral. Cela coupe littéralement en deux la personne qui, par manque de soutien des jambes, souffre, a des difficultés ou une impossibilité à se tenir debout et à avancer.

Le bassin est divisé en deux parties : le grand bassin, dont l'ouverture des ailes iliaques donne

---

1. R. Merger, J. Lévy, J. Melchior, *Précis d'obstétrique*, 6ᵉ éd., Paris, Masson, 2001.

le galbe des hanches ; et le petit bassin, qui contient l'appareil génital.

Le petit bassin est une cavité, une excavation osseuse, fermée en bas par le muscle, déjà évoqué, dont les Chinois associent la puissance au rôle qu'il joue dans la transmission de la vie : le périnée ou « muscle des ancêtres ». En fait, ce muscle à l'anatomie complexe musculaire et fibreuse établit une fermeture horizontale qui va du sacrum au pubis, en s'adossant sur les côtés aux os iliaques. Il est formé de plusieurs couches, comme un double hamac, accroché transversalement d'une cuisse à l'autre et longitudinalement du pubis au coccyx.

Complètement fermé dans sa partie postérieure, il laisse passer sur une ligne médiane le rectum, le vagin et l'urètre. Entre le vagin et l'anus se trouve le « noyau fibreux central du périnée » qui résulte de l'entrecroisement de tous les muscles périnéaux. En forme de coin, il soutient la partie postérieure du vagin. C'est le lieu du premier *chakra* de la médecine indienne. Ces couches sont constituées de fibres musculaires transversales, longitudinales et obliques qui deviennent circulaires aux niveaux des sphincters de l'anus et de l'urètre. Elles y prennent la forme d'un huit dont la boucle supérieure entoure le clitoris et la boucle inférieure, l'anus. Ce qui fait que les contractions de l'anus retentissent sur le clitoris et qu'en retour son érection resserre l'anus.

Le « plancher pelvien », autre terme définissant le périnée, constitue le sol qui soutient nos organes et sans lequel ceux-ci tomberaient littéralement par nos orifices inférieurs. Ce plancher qui retient nos organes à l'intérieur sert ainsi d'étayage en réceptionnant les forces telluriques de bas en haut, ce qui nous donne la force de nous tenir debout.

Le périnée est un tissu musculaire élastique et souple qui permet aux ouvertures dont il est le gardien d'être tantôt fermes pour se contracter, tantôt souples pour devenir élastiques et se dilater. Ce muscle joue donc un rôle important dans la sexualité, puisque c'est celui avec lequel on fait l'amour, celui qui permet que les sexes se rencontrent et se compénètrent, mais aussi celui que doit franchir le fœtus pour naître à l'air libre.

Si le périnée se nomme en chinois « muscle des ancêtres », c'est parce qu'il est le lieu où se cristallise une mémoire qui est celle de nos origines. C'est non seulement le lieu de l'enracinement de nos lignées paternelle et maternelle, mais aussi le lieu de la mémoire de tous nos ancêtres archétypaux. L'empreinte de notre propre origine est en effet inscrite en chacun de nous.

En stimulant ce muscle, nous y inscrivons de nouvelles empreintes, la nouvelle mémoire de notre identité. Il acquiert alors tonicité, souplesse et élasticité. Ce modelage se fait par des exercices de contractions, mais surtout de perception. C'est par l'attention qu'on lui porte que l'on va le ressentir. Ces nouvelles sensations vont pouvoir « s'imprimer » en nous et laisser des traces appelées « engrammes ».

Bien qu'il existe maintenant des méthodes de stimulation électrique pour la rééducation périnéale, on constate que les résultats escomptés ne sont pas toujours au rendez-vous. C'est l'absence de consignes d'une participation active à ressentir les sensations qui en est la cause. Bien sûr, l'expérience de la sexualité opère ce remodelage. Mais si l'on est trop préoccupé par sa difficulté à ressentir le plaisir, la peur de ne pas en avoir ou la honte d'en avoir, on s'enferme en soi au lieu de laisser s'ouvrir cette mémoire que contient notre périnée. C'est ainsi que s'entretiennent les fermetures posées par l'éducation familiale et sociale et que l'on passe à côté de la mémoire corporelle du plaisir qui permet l'exploration de ce jardin intérieur et secret qui est celui de sa vie adulte.

Les seins et l'allaitement

Dans la médecine occidentale, les seins sont considérés comme des « caractères sexuels secondaires ». C'est dire à quel point la dimension dynamique et érotique du corps n'y est pas du tout mentionnée. Comme tous les autres orifices du corps, les seins ont une fonction qui est à la fois matérielle et vibratoire. Dans leur fonction matérielle, ils produisent du lait et sont alors des mamelles nourricières. C'est leur dimension maternelle. Mais les seins sont aussi des organes de communication qui émettent et réceptionnent de l'énergie. La caresse des seins résonne dans le sexe. Ils ont alors une fonction féminine, énergétique et sensuelle. Bien fermes et rebondis, les mamelons en érection attirent et invitent aux « jeux des nuages et de la pluie », l'une des expressions désignant les relations sexuelles dans la Chine ancienne.

Pendant l'allaitement, la mère et l'enfant vont entrer en résonance de sensations. Cette résonance joue un rôle dans le corps de l'enfant pour lui permettre plus tard d'« engrammer » l'accueil et la réception d'une future génitalité.

Mutations et transformations du corps de la femme

L'une des particularités de la vie sexuelle de la femme est, de la puberté à la ménopause, de vivre des cycles qui s'inscrivent dans son corps sous le signe de mutations et de transformations. Sa période de fécondité est rythmée par un cycle lunaire faisant qu'elle a des règles environ tous les vingt-huit jours. Chaque mois, son sexe saigne à la fois parce qu'elle est une femme et parce qu'elle n'est pas enceinte.

Dans la plupart des sociétés traditionnelles, cette perte de sang est considérée comme un processus de nettoyage et de purification, et c'est pour cette raison que durant cette période la femme devrait savoir qu'elle doit se respecter. Les saignements ne doivent cependant pas être trop abondants, il ne faut pas qu'ils génèrent un excès de fatigue, car ils ont une fonction de dégagement des encombrements accumulés dans le mois. Si les saignements sont trop abondants, ils font perdre trop d'énergie et l'on entre alors dans un processus anormal dont je parlerai plus loin, lorsqu'on abordera les pathologies de lignées.

Il n'est pas normal d'avoir mal au ventre, il n'est pas normal non plus de trop saigner : cela provoque des anémies. Le corps met trois semaines à renouveler ses globules rouges. Si l'on considère que les femmes qui saignent beaucoup ont aussi des cycles qui s'écourtent entre vingt et un et vingt-cinq jours, le corps de ces femmes est sans arrêt sollicité pour reconstituer la masse et le volume sanguins. Le corps donne toujours la priorité aux fonctions vitales. Le sang, c'est notre sève. Ainsi, rien d'étonnant à ce que ces femmes soient constamment fatiguées.

Lorsque la femme est enceinte, son utérus devient la matrice d'un nouvel être qui s'y construit. Il se déforme alors pour lui faire de la place. Devenir mère est une mutation, tout son corps se transforme. L'utérus n'est pourtant pas le lieu d'origine d'un enfant, c'est son espace d'accueil. L'origine est bien le fruit de la fécondation d'un spermatozoïde et d'un ovule, mais il est aussi le fruit de deux histoires de vie, avec tout le mystère que cette rencontre implique.

Un grand nombre de sociétés traditionnelles pense que cette rencontre implique non seulement l'esprit des deux parents, mais aussi celui du futur arrivant. Françoise Dolto parlait du « troisième désir », celui de l'enfant, qui, associé à celui de chacun des parents, est nécessaire à sa venue sur terre. Dans ces conditions, on pourrait dire que c'est l'enfant qui choisit la famille dans laquelle il a désiré venir au monde.

La mobilisation de l'énergie sexuelle

L'énergie sexuelle peut se mobiliser de deux façons complètement différentes : soit dans une communication réelle de personne à personne avec le partenaire de son choix, soit dans une communication fantasmatique où un scénario personnel est nécessaire.

Quand le sexe vibre dans une communication de personne à personne, il vit le plaisir de l'échange en actualisant les forces sexuelles de chacun. On vit alors de plus en plus la connaissance de soi et de l'autre dans une dynamique évolutive. On est présent avec soi et avec l'autre.

Dans la communication fantasmatique, le sexe vibre en se reconnectant aux forces que procurent des images. Ces images se sont imposées à nous comme l'unique représentation de la sexualité. Elles se sont fabriquées dans l'enfance pour nous donner une idée de ce qu'était la sexualité puisque personne ne nous informait clairement. C'est ce scénario en images qui apporte et « branche » l'énergie pour avoir du plaisir. Ayant besoin de ses propres fantasmes pour jouir, cette sexualité aura du mal à s'inscrire dans le temps d'une façon évolutive puisqu'elle se vit à l'aide d'un passé qui est fixé. Elle est par essence répétitive. On reste entre soi et soi, et l'on a envie et besoin de l'autre pour vivre son scénario en même temps qu'on a besoin d'un scénario pour être avec l'autre.

Vivre une sexualité épanouissante et dynamique demande d'être confiante, tranquille et heureuse afin d'accueillir en soi les forces sexuelles de son partenaire. C'est alors que l'on peut se concentrer sur les sensations de plaisir que provoque la pénétration. Nous verrons que cette tranquillité dépend d'une construction que, malheureusement encore de nos jours, la majorité des femmes n'a pas reçue.

La femme n'est pas toute féminine et l'homme n'est pas tout masculin. Chacun détient une certaine proportion d'énergie féminine et masculine qui particularise sa personnalité et les réalisations de sa vie.

Si l'homme aime la femme, c'est qu'il trouve en elle ce que son corps physique ne lui a pas permis de développer. Faire l'amour n'est pas seulement pour lui se planter dans le corps d'une femme afin d'assouvir ses besoins et opérer une régulation énergétique. C'est aussi pouvoir puiser des forces en elle pour s'y ressourcer. Les Chinois disent que le Yin, principe féminin, nourrit le Yang, principe masculin, qui à son tour dynamise le Yin, et ainsi de suite. « Yin Yang » signifie, en chinois, « faire l'amour ». On voit bien comment cette civilisation considère la complémentarité des hommes et des femmes. Pour la femme, cette dynamisation ne se limite pas non plus à accueillir et recevoir les forces masculines. Elle a aussi le pouvoir de se projeter psychiquement dans le corps de l'homme afin d'unir ses énergies aux siennes pour en renforcer l'intensité.

La sexualité n'est pas une gymnastique corporelle. C'est avant tout une communication énergétique et psychique. Le meilleur dans l'amour est l'endroit où l'on se laisse dépasser. Cela implique de se laisser surprendre pour permettre à la nouveauté d'arriver. Il faut alors accepter l'inconnu et se laisser habiter par quelque chose que nous ne possédons pas : la force de vie du sexe de son partenaire. C'est la rencontre de cette force et de celle de notre sexe qui donne accès à ce plaisir incroyable qui nous dépasse. En ce sens, faire l'amour n'est pas un acte isolé du reste de la vie, qui se répète sans cesse, à l'identique, mais un processus qui se déroule, s'améliore et prend de l'ampleur avec l'âge et l'expérience. Il affine la connaissance de soi et de l'autre.

CHAPITRE III

La barrière de feu :
les maladies récidivantes

Maladie aiguë, maladie récidivante

« J'ai mal à mon sexe, ça brûle, ça gratte ! me dit Nathalie excédée. C'est horrible, j'ai envie de l'arracher. Mon généraliste m'a donné des médicaments, mais chaque fois que je crois en être débarrassée, ça recommence. Ça me tape sur le système, d'autant plus que j'ai un nouveau copain et que, de ce côté-là, ça n'arrange pas les choses. Je ne sais pas, il faut faire sûrement des examens plus approfondis, trouver le traitement qui me soignera définitivement. » J'ai entendu cette demande tout au long de mes journées de consultation. Les irritations du sexe de la femme, les douleurs de ventre et les saignements sont les troubles quotidiens rencontrés par le gynécologue. Et voilà l'histoire de Catherine qui se répète sous un angle différent :

– Vous confondez, Nathalie, le fait que les médicaments vous soignent avec le fait qu'ils ne vous apportent pas la solution définitive. Si ces troubles reviennent répétitivement, cela ne veut pas dire que les médicaments sont inefficaces. Vous me le dites bien, vous êtes très vite guérie. Ce que vous devez comprendre, c'est que les médicaments ne sont pas capables d'empêcher que ça revienne : ils savent vous soigner quand vous êtes malade, ils ne savent pas toucher au processus qui provoque la récidive. Vous ne pouvez leur demander ce qui n'est pas en leur pouvoir.

Comme toute médecine, la médecine occidentale a aussi ses limites. Au fil des temps, cette médecine s'est spécialisée dans une technologie de pointe qui la rend extrêmement performante et la recherche fait des progrès impressionnants tous les jours. Elle sait vous dire ce dont vous souffrez dans la grande majorité des cas, et c'est très important puisque c'est en ayant la connaissance de ce qui nous arrive que l'on va d'autant mieux se soigner. Elle sait aussi vous soigner de vos maux aussi bien médicalement que chirurgicalement ; je dirai que c'est une magnifique médecine qui est essentiellement focalisée sur la maladie et ses symptômes.

Quand la maladie récidive, on ne peut plus faire abstraction du malade, de son histoire, de ce qu'il est, car, dans tous les cas, la maladie récidivante est une expression propre à sa personnalité. C'est d'ailleurs pour cela qu'elle revient de façon répétitive.

Votre mycose, Nathalie, n'a pas de traitement différent quand il s'agit d'une première manifestation et quand elle se répète. On peut bien sûr changer les traitements puisque que nous en avons plusieurs équivalents à notre disposition, mais cela ne change pas fondamentalement le problème. Quant à faire des examens plus poussés, ils ont l'utilité dans votre cas de confirmer ce que, avec un peu d'expérience, nous, praticiens, savons diagnostiquer. Je ne dis pas qu'il ne faut pas les faire, ils témoignent d'une réalité palpable, rassurent et donnent confiance au malade comme au médecin. Mais se fixer sur le champignon comme sur un objet extérieur responsable de votre mal en vue d'une adaptation médicamenteuse plus performante susceptible d'empêcher la « rechute », c'est peine perdue.

Des parasites de tous ordres, il y en a partout et il y en aura toujours, à l'extérieur comme à l'intérieur de nous-mêmes. Les champignons à l'état de spores, c'est-à-dire de cocons, ne provoquent aucun trouble. Ceux dont vous souffrez ressemblent aux champignons qui éclosent dans la nature. Ils peuvent apparaître, pousser et se développer si le milieu dans lequel ils se trouvent, humide et chaud, le permet. Il est tout à fait important de savoir les traiter, mais en ce qui vous concerne il s'agit de savoir éviter qu'ils ne se développent à nouveau, de vous empêcher d'être un terrain propice à leur éclosion.

Pour cela, il vous faut de nouveaux repères. Vous avez à considérer les choses d'une façon différente, car la médecine occidentale n'est pas compétente ici. Personnellement, j'ai mis de nombreuses années à me rendre compte moi-même qu'il fallait considérer différemment le problème quand une maladie est aiguë ou qu'elle devient récidivante et chronique. Comme le dit Raymond Devos, « une fois rien, c'est rien ; deux fois rien, c'est rien ; mais trois fois rien, ça commence à devenir quelque chose »...

À la recherche de l'origine

Nous allons donc changer de point de vue et mettre momentanément de côté la mycose pour nous intéresser à vous, Nathalie, qui avez actuellement une mycose qui n'en finit pas de finir. Quand vos troubles ont-ils débuté pour la première fois ?

– Ça s'est installé petit à petit. Juste après les vacances, je crois. Au début, c'était supportable.

– C'était avant ou après votre rencontre avec votre nouvel ami ?

– Ah oui, c'était à ce moment-là. La première fois que Jean-Marc m'a invitée au restaurant en . Je me suis même dit : « Ça commence près j'ai oublié. On se connaissait déjà depuis un moment à la fac, mais on était toujours avec des copains.

– Cet homme a l'air de vous plaire.

– C'est sûr. Il me plaît vraiment. Et puis, on a plein d'atomes crochus, on a envie de faire des choses ensemble. Justement, c'est horrible !

– Et quand avez-vous eu votre mycose pour la toute première fois de votre vie ?

– Oh ! là ! là ! J'étais en vacances chez ma grand- mère, j'avais treize ans, je venais d'avoir mes règles et nous étions une bande de copains qui se retrouvaient tous les ans. Je n'ai osé en parler à personne, jusqu'à ce que je craque et demande de l'aide à ma grand-mère.

– Et l'arrivée des règles à treize ans. Comment cela s'est-il passé ?

– J'ai eu à peine mal au ventre, j'étais au courant. Ma mère m'avait prévenue. Elle disait qu'elle ne voulait pas faire comme sa propre mère qui ne lui avait rien dit, ça l'avait choquée, elle n'avait osé en parler à personne. Elle s'était promis de prévenir sa fille le jour où elle en aurait une. Oui, enfin, elle m'a juste dit que j'aurai des règles, que j'allais saigner une fois par mois, que c'était normal, qu'il ne fallait pas que je m'affole et que maintenant il y avait tout ce qu'il fallait pour se protéger !

– Et votre sexualité, quand a-t-elle débuté ?

– J'ai commencé assez jeune à fréquenter des garçons, mais je voulais vraiment choisir mon premier copain. Je l'ai choisi, il me plaisait, on s'est mis d'accord et j'ai été déçue ! C'est vrai qu'on n'était pas expérimentés, mais par la suite ça ne s'est pas vraiment arrangé.

– Vous avez été déçue de quoi ?

– Je ne sais pas à quoi je m'attendais, je m'étais fait tout un film de sensations extraordinaires que je ne connaissais pas.

– Avez-vous une idée de la façon dont se passait la sexualité de vos parents ?

– Aucune idée. On ne parlait jamais de ça à la maison. Vous croyez que ça a un rapport ? Ma mère est une personne assez renfermée, pas très démonstrative. En tout cas, j'ai su très récemment qu'elle n'était pas « portée sur la chose », comme ils disaient à l'époque. Elle admettait le sexe comme une fatalité. Elle pensait qu'il y avait des femmes qui étaient « portés » dessus et d'autres pas, dont elle faisait partie. Foncièrement, ça ne l'a pas dérangée. Elle n'avait pas besoin de ça.

– Et votre père ?

– Lui, jamais un mot de cet ordre n'est sorti de sa bouche. Il est aussi très silencieux. Mon père, je ne lui connais qu'une chose, c'est son travail.

– Et les grands-parents ? Avez-vous une idée de la sexualité de vos grand-mères ?

– Mais je ne me suis jamais posé toutes ces questions ! Je n'en sais rien du tout ! Mes grand-mères étaient toutes les deux des femmes assez rigides. Ma grand-mère maternelle était adorable avec moi quand j'étais toute petite. C'est une maîtresse femme et, du vivant de mon grand-père, c'est elle qui portait la culotte. Quand il y avait une scène d'amour à la télé, elle ne pouvait s'empêcher de persifler et de dire que c'était dégoûtant. Mon grand-père maternel était, lui, très effacé et très gentil. Il passait son temps dans son atelier à bricoler où j'adorais l'y rejoindre. Quant à ma grand-mère paternelle, elle a été veuve très vite, juste après son mariage. Mon père était encore petit. Elle était sobre, impeccable et stricte, toujours en deuil, et je ne lui ai jamais connu d'autre homme.

– La symbolique du lieu où le corps s'exprime en se mettant à souffrir est signifiante. Par exemple, le mal d'estomac nous signale quelque chose de difficile à digérer, voire d'indigeste. La constipation est une difficulté d'expulsion : on garde et retient ce qui n'est plus nutritif. La difficulté à respirer nous indique que quelque chose nous étouffe. Le mal aux jambes est une difficulté à avancer. La migraine, des pensées incohérentes qui s'entrechoquent et se bloquent dans la tête... Pour vous, Nathalie, c'est le sexe. Votre mycose est apparue pour la première fois à treize ans, juste après vos règles, au moment où les forces sexuelles se mettent à s'exprimer dans le corps. Vous étiez en vacances avec vos copains, chez votre grand-mère. Votre corps exprime ainsi une impossibilité à vivre la sexualité, un interdit de jouir qui a été posé par cette grand-mère. C'est cet interdit qui a rendu votre mère frigide et qui, chez vous, s'exprime dans ces mycoses à répétition. Vous auriez pu avoir ces irritations en dehors du milieu familial, car il était déjà inscrit en vous. Vous avez le désir de faire l'amour avec votre copain et vous trouvez ce désir légitime, car vous vivez à une époque où plus rien ne l'interdit, mais vous ne vous rendez pas compte qu'en vous les femmes de votre famille continuent de vous en empêcher.

Le sexe en feu, une sexualité barrée

Votre sexe est en feu. Le feu du désir est donc bien là, présent. Mais au lieu d'être un feu nourricier qui vous donne des ailes et vous permet de faire l'amour avec l'homme que vous avez choisi, cet interdit en a fait un feu dévastateur : une véritable barrière de feu entre vous et Jean-Marc qui vous rend inabordable et incapable de fêter la rencontre des corps.

Votre force de vie est bien là. Elle vous permet de lui ouvrir votre cœur, de vous découvrir tous deux et d'agrandir votre espace de vie, mais votre sexe n'est pas transporté dans la danse. Il ne suit pas le mouvement. Au lieu que la force du désir l'ouvre et crée un appel vers l'intérieur de votre corps pour le rendre vivant à la découverte de vous-même et de votre ami, vos énergies sexuelles se retournent contre vous, comme si le dégoût de votre grand-mère pour la sexualité continuait de vous empêcher de vivre la vôtre.

C'est ce que dénonce la mycose. Elle exprime la façon dont vous êtes restée enfermée dans votre statut de fille sans pouvoir muter au statut de femme, car jamais personne ne vous a expliqué que vous alliez être amenée à vivre votre sexualité.

– Mais pourquoi la sexualité m'est-elle barrée ? Moi, j'ai envie de faire l'amour avec Jean-Marc...

– Votre désir et votre cœur en ont envie, mais pas les cellules de votre sexe. C'est comme si votre sexe, qui contient les mémoires de vos grand-mères, vous en empêchait. Lorsque les enfants voient des scènes d'amour à la télé, cela leur pose des questions. Il est alors important que les adultes ne les éludent pas. Il semble que les persiflements et le dégoût de votre grand-mère envers la sexualité vous aient fait ravaler vos questions et que, par la suite, vous vous soyez comportée comme si vous n'aviez pas de sexe.

Les informations sur la sexualité qui se sont inscrites dans vos cellules lors de votre construction de petite fille sont, du côté de votre mère : « le sexe, connais pas » ; du côté de la sienne : « déplaisir et dégoût » ; et du côté de votre grand-mère paternelle : « le vide, le trou, le rien ». C'est ce « connais pas, déplaisir, dégoût, trou, rien » qui, en s'opposant à votre désir pour Jean-Marc, fait que votre sexe « chauffe, gratte et brûle », comme il l'a fait la première fois chez votre grand-mère. Votre mère ayant renoncé au plaisir sexuel, vous êtes la première femme de vos lignées à prétendre vivre une vie de femme sexuellement épanouie.

La rencontre de Jean-Marc, qui vous touche particulièrement, ravive la mémoire de votre construction sexuelle de base, celle qui vous a modelée, puissante et implacable, au point de s'imposer à vous. Sans vous en rendre compte, vous y êtes fidèle.

Dans la construction sexuelle de la femme, la fidélité à sa mère est un lien excessivement puissant. D'une part, parce que c'est elle qui nous a construite ; de l'autre, parce que nous avons un corps semblable au sien et que, donc, pour pouvoir grandir, nous avons passé notre enfance à nous identifier à elle.

L'interdit de vivre votre sexualité, Nathalie, ne provient pas de vos idées personnelles, il est dû à la manière dont la sexualité s'est inscrite en vous, telle qu'elle vous a été inconsciemment transmise. Nous héritons de transmissions, qui impriment en nous et construisent notre structure de base. Celle-ci est constituée de nos pensées et croyances, mais aussi de nos « mémoires cellulaires ».

Durant des siècles, la sexualité féminine a été assujettie à la reproduction avec une grave dépréciation du plaisir charnel. Il en était encore ainsi lorsque j'étais jeune. Au niveau de l'éducation

sexuelle des enfants, cela n'a pas fondamentalement bougé. La sexualité ne se transmet toujours
pas de mère en fille comme une valeur humaine
indispensable à la vie et la santé. Ce qui fait que
les femmes comme vous qui veulent vivre leur
sexualité n'y arrivent pas. Le plaisir érotique
n'ayant eu aucune place dans la bouche de leur
mère, leurs cellules n'y sont pas préparées.

– Mais alors, des femmes comme moi, il doit
y en avoir à la pelle ?

– Oui, à la pelle, comme vous dites ! Le droit
d'intégrer le plaisir sexuel à la vie quotidienne
est un phénomène social récent, une mutation
engendrée par l'usage de la pilule contraceptive.
Il est vrai que la pilule n'a pas été inventée pour
permettre aux humains de faire l'amour comme
ils le souhaitaient, mais pour diminuer la nata-
lité. Votre mère aurait pu la prendre et découvrir
sa sexualité, mais elle ne savait même pas qu'elle
y avait droit. Comme elle vous l'a dit, elle n'en
a pas ressenti le besoin. Chez elle, le désir n'attei-
gnait même pas son sexe. Il ne faisait pas partie
de son corps. Il était totalement éteint par son
éducation. Chez vous, la mycose est une façon
de protester contre cette transmission désas-
treuse. C'est déjà un progrès.

La capacité à ressentir le désir de faire l'amour
provient d'une transmission qui s'effectue très
tôt dans la petite enfance, avec les hommes et
les femmes de notre famille qui nous aiment et,
plus particulièrement, notre mère. Vous n'avez

pas reçu l'éducation qui permet que le plaisir sexuel soit considéré par vos cellules comme quelque chose de normal. Comme votre mère et vos grand-mères, vous restez dépendante de ces mémoires passées et ce ne sont pas encore vos propres choix qui mènent votre vie.

Dans les cas de maladies récidivantes, votre mycose est en même temps l'expression d'une série de questions (Qu'est-ce que c'est que cette histoire d'irritations du sexe ? Pourquoi ai-je toujours des mycoses ? Pourquoi ai-je une mycose lorsque je désire un homme ?), le signal de quelque chose que vous ignorez (Je ne savais pas que mon sexe ne m'appartenait pas et qu'il était toujours arrimé à ceux des femmes de ma famille), et l'invitation à faire quelque chose pour vous en sortir (Je ne savais pas que j'avais tout un travail à faire pour être heureuse d'être une femme).

J'ai moi-même mis longtemps à le comprendre, mais lorsqu'une maladie résiste à toutes les formes de médicaments et revient périodiquement, il faut faire appel à d'autres conceptions de la maladie et du soin : ne pas considérer la maladie comme un ennemi à combattre, mais comme un enseignement qui signale que l'on doit reprendre en main le volant de sa vie.

La médecine chinoise

Considérons donc cette mycose du point de vue d'une autre médecine : l'énergétique chinoise traditionnelle, l'acupuncture. Cette médecine pense que la vie est due à des forces appelées « souffles » (*Qi*) qui nous alimentent, nous rendent mobiles et nous animent. Quand les souffles nourriciers et défensifs ont la possibilité de circuler harmonieusement en nous comme il se doit, nous sommes en bonne santé. S'il y a surabondance ou insuffisance, nous tombons malade. À la mort, les souffles partent de notre corps physique, nous devenons froids et immobiles, la vie nous a quittés.

Dans le cas de Nathalie, le conflit créé par le fait d'être amoureuse et l'absence d'information dans son corps lui permettant de faire l'amour engendre une accumulation d'humidité et de chaleur au niveau de son sexe. L'énergie du désir sexuel ne sait pas dans quelle direction aller, elle n'est pas vectorisée, elle s'agite sur place et s'échappe en dehors du corps. Comme le désir sexuel donne à la fois « le sang chaud » et « le sexe humide », le terrain est propice à l'éclosion des champignons. Cette énergie se met à s'agiter sur place et ça gratte en créant une barrière de feu qui repousse le partenaire tout en se retournant contre elle, la brûlant terriblement.

En médecine chinoise, le traitement consistera à faire circuler les énergies pour chasser l'humidité et rafraîchir la chaleur. Cela permettra aux souffles d'être mobilisés à nouveau. S'il s'agit de traiter le phénomène aigu, la médecine allopathique occidentale, l'homéopathie ou l'acupuncture ont la même efficacité immédiate. C'est à chacun de choisir la médecine qui lui convient. Mais une fois guérie, si la maladie est récidivante, il s'agira d'entreprendre un travail personnel afin d'acquérir un nouvel état d'esprit pour qu'à la moindre déstabilisation émotionnelle, elle ne réapparaisse plus.

Se désolidariser de la répétition

Il s'agira pour Nathalie d'apprendre à se désolidariser du processus qui entraînait la répétition, c'est-à-dire de pouvoir vivre comme elle le pense, le désir l'emportant sur les transmissions sexuelles qu'elle a eues et qui ne sont plus à l'ordre du jour. Elle devra reconnaître que la jouissance sexuelle a été censurée par sa propre histoire familiale et que la mycose traduit une absence de construction sexuelle permettant de vivre son désir. Il lui faudra aussi faire un travail d'information permettant d'acquérir les nouvelles empreintes qui rendront légitime sa sexualité.

Pour cela, je propose un travail énergétique global et très imagé : ressentir le bas de son ventre comme un bassin qui doit être plein d'énergie. Il est notre base, notre réservoir de vie. Dans ce bassin se distinguent différents organes qu'il est bon mentalement de contacter et de ressentir : les reins, les glandes surrénales, les ovaires, l'utérus, le vagin et le périnée. Puis l'énergie du bassin va déborder en abondance en incluant les cuisses jusqu'aux pieds. En ayant contacté le périnée et les pieds sur la terre, on est posé, on ne flotte plus, on tient debout. Ayant acquis cette stabilité, on va pouvoir se connecter, toujours mentalement, aux forces qui existent dans la terre, celles qui font pousser les plantes, afin de laisser remonter ces souffles dans notre petit bassin. Ces forces alors nous soutiennent, nous portent et nous redressent : elles nous remodèlent et nous devenons de plus en plus nous-même.

Ce travail de transformation n'implique pas de s'imposer à coup de flagellations volontaristes une nouvelle façon de vivre. D'ailleurs, à long terme, cette manière de faire est non seulement inefficace mais dangereuse. Il est ici question d'en avoir « l'intention », de le « vouloir » fermement et de « garder son cap », de ne pas oublier son projet. Ce qui y est actif, c'est le désir de se transformer, l'intention et l'attention qu'on y porte qui rendent les exercices efficaces. Pour Nathalie, c'est son désir de devenir une femme vivante qui permet à son sexe de s'intégrer au reste de son corps, d'acquérir une souplesse d'ouverture et une capacité d'accueil qui empêchent cette barrière de feu de se reconstituer.

Faire l'amour

Dans le registre de notre humanité sexuelle, notre héritage est d'autant plus fou que nous l'avons intériorisé. J'avais quatorze ans quand j'ai entendu pour la première fois une copine me dire que « faire l'amour, c'est vraiment quelque chose de formidable ». Je n'en revenais pas. Je n'avais jamais entendu aucune femme parler ainsi de l'étreinte charnelle et je n'imaginais pas que l'on puisse y prétendre sans un engagement officiel avec un homme. J'étais donc stupéfaite, mais au lieu de saisir l'occasion d'en savoir plus, j'étais choquée. Je restais ébahie, je trouvais qu'elle était trop jeune, elle n'avait que dix-sept ans ! Bref, j'installais un black-out sur ce qu'elle me disait et ce n'est que plus tard, grâce à mon travail d'analyse, que j'ai compris pourquoi je n'avais pas été capable de recevoir ma première leçon d'éducation sexuelle. Que ce phénomène de plaisir me soit révélé par une copine était alors totalement irrecevable. Je ne pouvais remettre en question mon éducation à ce point. Ma mère, qui voulait mon bonheur et me disait toujours que j'étais une « belle fille », n'avait pas pu faire une telle impasse ! Si c'était vrai, elle me l'aurait dit ! Comment aurais-je pu imaginer qu'elle-même ne vivait pas sa vie de femme ?

Revisitant cet événement, je me revois assise sur les marches du perron, à côté de ma copine qui me dit : « C'est vraiment formidable de faire l'amour. » Je la regarde. Je ressens un petit ébranlement, une toute petite secousse interne qui, infime, me déstabilise et je ne peux plus entendre la suite. Captée par cette phrase, je l'entends à nouveau comme un écho qui s'éloigne en repoussant les frontières de mon monde : « C'est vraiment formidable de faire l'amour. » Me voici ailleurs, passée dans un autre monde. Et c'est alors qu'un écran noir obscurcit mon front en m'empêchant de voir le nouveau paysage. J'entends à nouveau ma copine, mais de très loin. En revenant à moi se forme alors dans ma tête un discours moralisateur. Que s'est-il donc passé à mon insu ? Françoise Dolto dirait que je me suis réfugiée dans ma « sécurité de base ». Le refuge dans cette sécurité, qui est celle du « connu », est une réaction spontanée de défense qui se produit lorsqu'on ne peut recevoir et contenir un événement qui, trop nouveau, nous déborde émotionnellement. Comme si l'écran noir me signifiait : « Ne t'aventure pas au-delà, tu ne réussiras pas à tout gérer. »

À l'âge que j'avais, pour pouvoir entendre le discours de ma copine, il aurait fallu que la question du plaisir sexuel existe dans ma famille et que ce dernier puisse se communiquer entre ma mère, mes sœurs et moi.

Instruire son sexe
de sa fonction de plaisir

Tant qu'un sexe de femme n'est pas informé de sa fonction de plaisir, il ne sait pas être vivant. Ce n'est pas la capacité à faire des enfants qui apprend à faire l'amour. C'est pourtant ce qui se passe. La fidélité à sa construction originelle et à sa mère en particulier est un lien excessivement puissant pour une fille.

Dans l'exemple de ma cliente, l'interdit de la sexualité ne concerne pas sa pensée personnelle : Nathalie ne pense pas qu'il ne faut pas qu'elle fasse l'amour avec son copain. L'interdit concerne la façon dont la sexualité s'est inscrite en elle par sa transmission. Encore une fois, nous héritons de transmissions qui impriment en nous notre structure de base, à l'origine à la fois de nos pensées et croyances et de notre « mémoire cellulaire ».

Jusqu'à ma génération, qui correspond à l'avènement de la contraception, il était transmis aux humains que la vie consistait à travailler et à faire des enfants. C'est toujours le cas. La sexualité n'est pas encore transmise comme une valeur humaine. Les individus le pensent, ma cliente pense qu'il est bon pour sa vie qu'elle fasse l'amour avec celui qu'elle aime, mais cette valeur n'a pas informé les cellules de son sexe. Celui-ci demeure enfermé dans sa « matrice originelle ».

Jusque dans les années 1980, la psychanalyse fut le seul outil que j'avais trouvé pour élargir mes capacités à soigner les autres et me soigner moi-même. Ne pouvant ignorer l'influence du psychisme sur notre santé et nos comportements, très vite, je cherchai à situer l'éclosion de la maladie dans la vie et l'histoire des femmes qui me consultaient. Les maladies sont des feux de signalisation qui expriment quelque chose que nous ignorons et qui nous concerne. Je cherchais donc l'événement particulier, récent ou ancien, qui avait déstabilisé telle ou telle femme au point de la rendre malade et fragile. Était-ce une nouvelle bouleversante, un changement de vie, un mariage, un déménagement, une visite de famille, une nouvelle rencontre, un deuil, une contrariété, un anniversaire, ou la naissance d'un enfant ?

La psychanalyse contemporaine que j'ai adoptée est celle de Françoise Dolto, qui a étudié le développement préverbal du tout petit enfant, pris en compte l'héritage ancestral de la personne et réhabilité le fait que le bébé est un sujet désirant à part entière, et cela dès sa conception. Les parents ou les adultes tutélaires ont non seulement le droit, mais le devoir de lui transmettre la vérité de son histoire, celle qui lui est propre, ainsi que celle de sa famille et de ses ancêtres.

C'est de tout cela que dépendra sa santé psycho-affective.

Les parents doivent lui dire quel a été le projet parental de son arrivée sur terre, comment ils ont eux-mêmes été conçus, quelle était l'ambiance familiale durant sa gestation, ainsi que les circonstances de sa naissance et des premières années de sa vie, pour lesquelles il n'a pas de souvenirs propres.

L'ensemble de ces informations, sentiments, émotions, sensations, pensées, croyances, valeurs et réalisations individuelles ou collectives de sa famille constitue la « matrice originelle » dans laquelle l'enfant puise les matériaux de sa construction mentale et forme les engrammes[1], les empreintes cellulaires de sa vie sensitive et affective. Cette première structuration de sa personnalité physique, affective et psychique construit la sécurité de base qui, à l'âge adulte, est responsable de notre comportement sexuel.

---

1. Ce terme, que j'ai déjà évoqué dans un précédent chapitre, a été utilisé par Françoise Dolto pour décrire la façon dont les événements affectifs s'inscrivent dans la mémoire cellulaire. Selon la théorie de l'originaire développée par Piera Aulagnier et Didier Dumas, le fœtus et le nourrisson se construisent en étant, en même temps, soi-même et l'Autre. Ils dupliquent ainsi les structures mentales de leur mère et des heureux élus de leur mère pour prendre des « bouts » d'autre qui constituent les engrammes. Quand on dit que l'on est une véritable éponge sensible à l'environnement extérieur, on se situe dans l'originaire. C'est cela qui permet que l'on puisse souffrir quand quelqu'un d'autre souffre.

La sexualité adulte, l'érotisme et le rapport affectif à l'autre se construisent dans les premières années de la vie, à partir à la fois des informations contenues dans cette « matrice originelle » et des paroles qui l'en informent. C'est donc en premier lieu par le biais du « maternage », qui transforme les pensées, les sentiments et les sensations, qu'il soit donné par la mère, le père, les grands frères et sœurs, les grands-parents, les « nounous », que nous transmettons à nos enfants la façon dont, adultes, ils géreront leur sexualité. C'est secondairement et simultanément que le « paternage », lui, transforme les pensées, les sentiments et les sensations en mots, qu'il soit donné lui aussi par toutes les personnes qui prennent soin d'eux.

La vie nous habite

En Occident, on dit : « J'ai la vie devant moi. » Les Chinois disent : « La vie nous habite. » En ce sens, les mycoses, comme toutes les maladies récidivantes de la femme, signalent que le sexe n'est pas habité par la vie et ignore comment l'être. L'acupuncture m'a fourni une représentation de la manière dont les souffles de la vie, que j'appelle aussi « énergies ou forces vitales », animent le corps et y circulent. Elle m'a aidée à me connaître et à oser considérer le rôle de la jouissance sexuelle dans la santé. Toutefois, avoir une représentation claire des différentes formes de plaisirs générées par le clitoris, le vagin, l'utérus et le reste de mon corps m'a pris beaucoup de temps.

Les mycoses, les vulvites, les vaginites, les cystites, les salpingites, les ovarites et les pyélonéphrites proviennent toutes d'un surplus de feu qui se manifeste par des inflammations du sexe et de l'appareil urinaire. Toutes ces maladies témoignent d'un dysfonctionnement du corps féminin qui provient d'un manque d'éducation sexuelle. Ces inflammations sont le témoignage énergétique de l'absence d'informations sexuelles dans laquelle les femmes ont été élevées. Petites filles, elles n'ont pas pu se projeter dans un avenir de femmes ayant à vivre une sexualité de plaisir. Leurs choix de vie témoignent de leur désir de devenir elles-mêmes, mais lorsqu'il s'agit de vivre librement leur sexualité, dans le partage avec leur compagnon, leur corps leur signale qu'en certaines circonstances il reste connecté au passé et que c'est celui-ci qui l'emporte sur leur désir.

La majorité des mères et des pères ne répriment plus la sexualité de leurs enfants. Mais ils continuent de négliger l'éducation sexuelle parce qu'ils n'ont toujours pas trouvé les mots pour parler du désir et du plaisir sexuels. Ils leur permettent de devenir des adultes, de choisir un métier et de fonder une famille, mais ils n'en font pas des adultes sexués, responsables de leur vie sentimentale et sexuelle.

CHAPITRE IV

La construction sexuée de la petite fille et la déstructuration de la fille à la mort de sa mère

Attendre une petite fille

Un beau matin de printemps, Véronique vient me consulter, fiévreuse, fatiguée, avec une sinusite sous-maxillaire. Elle m'annonce sa grossesse, elle est enceinte de quatre mois et demi.

D'après elle, rien n'est à signaler, tout va bien, elle est heureuse d'attendre un enfant et de partager sa vie avec son compagnon.

Je lui fais remarquer qu'obligatoirement, vu son état, quelque chose l'a déstabilisée. Elle rougit et me dit :

– La semaine dernière, on a fait l'échographie et on a su qu'on attendait une fille... C'est super, Greg est tout content.

– Et vous ?

– Pour être honnête, j'aurais préféré attendre un garçon.

Véronique est très émue, au bord des larmes. Comme je connais déjà bien son histoire, je lui fais remarquer : « Dans votre famille, votre frère aîné est déjà père, alors que votre sœur aînée n'a pas d'enfants. Votre père va mieux que votre mère. Il est donc émouvant et plus compliqué pour vous d'avoir une fille et de vous emboîter aux femmes de votre famille. »

L'échographie, découverte et mise en pratique depuis à peine trente ans, permet maintenant de connaître le sexe de l'enfant alors qu'il est encore dans le ventre de sa mère. C'est une vraie révolution, et tout le monde n'est pas obligé d'y adhérer, mais cela rend possible de personnaliser scientifiquement celui ou celle qui va arriver. Jusque-là, on l'appelle « le bébé », ou « l'enfant ». C'est un ange asexué. Après un examen échographique, ce n'est plus un ange que l'on attend, mais un petit garçon ou une petite fille. L'attente de la naissance devient sexuée.

Et quel bouleversement s'opère chez la future mère quand elle attend la naissance d'un être qui a le même sexe qu'elle ? Eh bien, elle attend du « même » et non pas de la différence. La façon dont nous allons attendre en confiance une petite fille va dépendre de celle dont notre mère nous a attendue, a attendu ses enfants et ses filles – si elle en a eu. Enceintes, les femmes se reconnectent aux grossesses de leur mère, en une véritable récapitulation à la fois de l'état de grossesse et de leur état de « bébé-fille ». La sinusite de Véronique en témoigne : à travers son histoire, attendre une fille l'a bouleversée et l'a rendue malade.

Qu'est-ce qui peut se passer dans le couple, quelle est la solution que nous avons aujourd'hui pour que ce couple attende ce bébé-fille avec plaisir et tranquillité sans retomber dans la répétition de ses lignées ?

Ce qui permet à ce couple de vivre un bon déroulement de la grossesse et une mise au monde la plus adéquate possible, c'est de savoir qu'ils sont ensemble dans une création personnelle, ils sont deux à mettre cet enfant au monde. La façon d'attendre leur enfant chacun séparément et ensemble oriente et tisse déjà leur peau de nouveaux parents : parents de cet enfant particulier.

J'ai conseillé à Véronique et à son ami Greg, pour bien prendre en main la création de l'arrivée de cette petite fille, de pratiquer une méthode de suivi de grossesse particulièrement appropriée : l'haptonomie.

L'haptonomie vient du grec *hapsis*, qui signifie le toucher, le tact, la sensation de contact, mais aussi la sensibilité, la sensitivité et le sentiment. En France, cette pratique a été introduite dans les années 1980 par le GREEN (Groupe de recherches et d'études de néonatologie) qui a organisé, avec le docteur Frans Veldman, son fondateur hollandais, les premières journées de rencontres avec des obstériciens et des femmes enceintes.

En pratiquant l'haptonomie pendant toute la durée de la grossesse, les futurs parents apprennent à donner à leur enfant, dès sa vie intra-utérine, une place qui lui est propre. À condition qu'elle y consente, en posant ses mains sur le ventre de la future mère, le père peut « contacter » directement *in utero* son enfant. Et celui-ci peut à son tour lui répondre. Ainsi un échange fondé sur le « toucher affectif » s'installe-t-il entre le père et son enfant.

Fondamentalement, cette méthode introduit la présence active du père dans le déroulement de la grossesse. La femme n'est plus seule avec son enfant. Avec le père, la dynamique de la tryade soulage la femme de la puissance des liens du « couple mère-fille ».

Mais le plus important est le partage de ce qui se passe dans le couple. Aujourd'hui, la nouvelle génération de pères est d'emblée dans sa fonction complémentaire de la mère. Avec ou sans haptonomie, les pères prennent contact très vite avec leur enfant, et c'est ce qui compte. Ils inscrivent des mémoires directement avec leur enfant. Du coup, la femme qu'ils aiment se trouve dégagée de la toute-puissance du maternel.

À la naissance, l'enfant devient l'aimant catalyseur

À la naissance, l'enfant devient pour la mère le centre du monde, son aimant. Le lien énergétiquement incestueux qu'une mère ressent avec son enfant la déconnecte du désir sexuel de l'homme aimé, car c'est le même lien d'amour qui se transfère de l'homme à l'enfant. Les liens d'amour du cœur et de l'esprit pour l'homme qu'elle aime et qu'elle a fait père sont toujours présents, mais celui du sexe de la femme se déplace vers son ombilic à elle pour nourrir affectivement son enfant. Son petit bassin et son sexe ne vibrent plus, ils sont désertés, désinvestis.

Les hommes, dont le désir sexuel est toujours présent, perdent alors sexuellement leur femme. Ils ne sont plus fêtés dans leur virilité.

C'est la reprise de la sexualité des géniteurs qui va protéger l'enfant de ce lien unique d'avec sa mère. Cet équilibre régénère la mère, verticalise le père et permet à l'enfant d'engrammer sa future sexualité.

Apprendre à devenir aussi un homme ou une femme en étant jeune parent est une situation nouvelle que n'ont pas vécue nos ancêtres. Le désir se réactive quand le couple retrouve l'intention et la confiance pour fêter sexuellement le fait de s'être rencontré et le plaisir d'avoir fait cet enfant. Quitter momentanément sa fonction de mère et de père, se donner un rendez-vous pour partager un moment de complicité, redonne une dynamique joyeuse dans l'appréciation de soi et de l'autre, ce qui change radicalement l'atmosphère du foyer familial.

La force du prénom et du nom

L'enfant porte un prénom qui lui donne une identité familiale et sociale. C'est avec ce son, cette vibration particulière qui constitue le prénom, que, chaque jour, le bébé entend ses parents s'adresser à lui et s'occuper de lui. C'est ce prénom avec lequel on l'interpelle en permanence qui le conduira à dire « je ». Raconter à la petite fille l'histoire de son prénom n'est pas inutile. Si son choix correspond à un bon souvenir des parents, à une actrice de cinéma idéalisée par la mère et le père, une ancêtre tyrannique ou une ancienne maîtresse du père, l'imaginaire qui a présidé à ce choix concerne en premier l'enfant. S'il s'agit d'un prénom mixte, comme Frédérique, Michelle ou Danièle, qui ne valorise pas la différence sexuelle, il faut dire à l'enfant si elle était attendue plus en garçon qu'en fille, si ce prénom est celui d'une ancêtre à laquelle elle se trouve ainsi référée, ou si la différence sexuelle n'avait pas d'importance dans la famille.

La petite fille a également besoin de savoir qui, de son père ou de sa mère, a choisi ce prénom, et si celui-ci est chargé de signifiants particuliers. Par exemple, avec Sylvie (si elle vit) ou Renée (re-née), il faut se demander si l'enfant n'a pas été conçue inconsciemment en remplacement d'un autre. La psychanalyse transgénérationnelle montre en effet que ces prénoms sont souvent donnés en souvenir d'un enfant mort qui l'a précédée dans sa fratrie ou dans les générations antérieures.

Le nom, lui, enracine la petite fille dans la filiation. Porter le nom du père est dans notre culture le seul témoignage que la mère puisse faire à sa fille de l'avoir conçue avec un homme autre que ceux de ses lignées à elle. Mieux, comme cela est possible de nos jours, avoir le choix de porter le nom de son père et celui de sa mère inscrit qu'on est bien issu de deux lignées. Mais si rien n'est dit à la petite fille des origines parentales de la filiation et si elle ne porte que le nom de sa mère, elle peut se construire dans la croyance que sa mère l'a faite seule, qu'elle n'est que son prolongement, ce qui la contraint à rester emboîtée en elle et à croire qu'il n'y a pas besoin d'homme pour reproduire la vie.

Voilà ce dont témoigne Monique : « De ne pas avoir été reconnue par mon père et ne pas porter son nom a été un handicap pendant très longtemps. J'avais un manque total de confiance dans ma réussite sociale et dans mes rencontres avec les hommes. Dès que je réussissais à démarrer une histoire d'amour ou à trouver un travail qui me correspondait, c'était l'échec ! Et puis, grâce à la thérapie, j'ai intégré que si je ne pouvais me faire reconnaître ni socialement ni par un homme, c'était parce que je n'avais pas été reconnue par un père. »

Corinne, une autre de mes clientes, ne mène pas ses grossesses à terme. La suggestion d'un travail de recherche généalogique lui a permis de repérer et de comprendre comment ses ancêtres ont fait leurs enfants. Ses arrière-grand-mères et ses grand-mères maternelles sont toutes des « filles-mères » et, de mère en fille, elles s'emboîtent ainsi comme des poupées russes. De génération en génération, en donnant leur propre nom à leurs filles, elles témoignent que fantasmatiquement les enfants se font par parthénogenèse et qu'il n'y a pas besoin d'homme pour faire un enfant. Le travail psychique énergétique et trangénérationnel de Corinne lui apporte la capacité d'intégrer que l'enfant à venir portera le nom du futur père qu'elle a choisi.

Pour pleinement savoir que l'on est une femme, il faut aussi le découvrir dans le regard d'un homme et, en premier, dans celui d'un père. Si donc la fille n'en a eu aucun, son rapport aux hommes sera forcément problématique.

L'allaitement

La génitalité s'intègre aussi à travers l'allaitement : le mamelon est le premier objet de pénétration par la bouche dans le corps du nourrisson et ce mamelon est la représentation, la charnière entre l'extérieur de son corps circonscrit par sa peau et l'intérieur de son corps, le fonctionnement de ses organes.

L'allaitement permet la découverte de l'autonomie interne de son corps, car dans le ventre de la mère, même s'il suçait déjà son pouce et qu'il avalait le liquide amniotique, il n'avait pas la notion d'une différence entre l'intérieur et l'extérieur. Il se fondait complètement dans son milieu aquatique[1]. L'allaitement provoque la naissance de sensations intérieures par la conjugaison de la satisfaction de se remplir par la bouche et la jouissance de ce liquide chaud en continuité avec le plaisir de la mère à nourrir son enfant.

Du côté de la mère, l'allaitement provoque des contractions utérines qu'on appelait autrefois des « tranchées » tellement elles pouvaient être douloureuses, et ce sont précisément ces contractions qui aident l'utérus à lui faire reprendre sa tonicité et sa forme d'avant la maternité. L'accouchement et l'allaitement, qui donnent à

---

1. Voir Jean-Marie Delassus, *Le Génie du fœtus. Vie prénatale et origine de l'homme*, Paris, Dunod, 2001.

la mère ces contractions utérines, entraînent une transformation qui permet une intégration plus affirmée de son utérus et de son vagin et, si elle s'y autorise, une sexualité et une jouissance plus matures.

Le temps des échanges de l'allaitement construit une base de sécurité à l'enfant. C'est à travers l'odeur de sa mère, l'éclat et la profondeur de son regard, le corps à corps affectif qui lui donne soutien et confort, sans compter sa voix rassurante et régénérante, que la petite fille reçoit une nourriture complète.

Pour que ces sensations internes augurent une future jouissance utéro-vaginale chez la petite fille, la mère devrait à la fois les reconnaître pour elle-même et savoir qu'alors, elle transmet ce plaisir à sa fille afin que celle-ci, plus tard, se permette de les retrouver dans la jouissance avec un homme. Cette mère devrait aussi exprimer à sa fille, avec des mots, qu'elle-même et ses grand-mères n'ont pas pu s'autoriser à ressentir ces sensations librement puisque celles-ci n'étaient pas légitimées à l'époque.

Lors de l'allaitement, quand la mère souffre de crevasses du mamelon, de lymphangite, d'abcès du sein, d'engorgement ou de manque de lait, la première pénétration du mamelon par l'enfant est imprégnée de difficultés. Ces pathologies montrent combien la jeune mère est tributaire, malgré elle, des histoires maternelles des femmes de ses lignées de femmes. Pour sa petite fille, ses deux bouches orale et vaginale, qui, résonnant l'une avec l'autre, ne vont plus être en confiance pour l'accueil et la réception de la nourriture de la mère, rendront par la suite dans sa vie de femme difficiles les baisers et l'accueil du pénis de l'homme dans son corps. La vulve, le vagin et l'utérus sont alors coupés de leur source : la bouche orale, et le sexe, qui n'est plus irrigué, s'assèche, s'insensibilise, comme anesthésié.

Quand l'utérus de l'accouchée reste gros et atone, l'esprit de la femme qui allaite est toujours inconsciemment en gestation et ne donne pas à l'utérus le message de la reprise de son cycle. Le sein reste uniquement dans le plaisir de la mamelle nourricière et n'a pas l'information de déclencher la sensibilité du plaisir érotique. Cette mère demeure « psychiquement enceinte », sans émerger à son nouvel état de femme sensuelle et sexuée.

S'il y a eu des difficultés d'allaitement, que la petite fille ait eu trop ou pas assez de lait, plus tard la jeune femme risquera d'être dans le rejet du pénis ou, au contraire, de n'en avoir jamais assez, et elle aura besoin de prendre le pénis en elle comme pour se remplir, mais sans le désirer vraiment.

À certaines époques, on a pu dévaloriser l'allaitement maternel pour ne pas déformer la beauté des seins de la future mère, leur préférant ceux d'une nourrice comme si les seins étaient totalement interchangeables. C'était nier complètement le rôle intime et privilégié qui se joue pendant l'allaitement entre l'enfant et la « mère nourricière ».

Plus récemment, le biberon, substitutif du mamelon de la mère, peut toutefois jouer le même rôle que le sein maternel si, par la parole, la mère explique à son nouveau-né pourquoi elle utilise le biberon : « Je ne sais pas et ne comprends pas pourquoi je ne peux pas te nourrir avec mes seins, mais quand je le saurai, je te le dirai. En attendant, prenons du plaisir ensemble et nourris-toi bien. » La parole vraie dégage toujours l'enfant de la problématique de sa mère.

Aujourd'hui, les pères aussi donnent le biberon à leur enfant. De ce fait, ils partagent avec les mères la fonction nourricière. Ce comportement ancre chez l'enfant la fonction maternelle aussi bien par la mère que par le père, ce qui est tout à fait structurant pour l'enfant puisqu'il reçoit les empreintes affectives de ses deux parents. Il est cependant important de remarquer que certains hommes « papa poules » sont tellement aimantés par l'enfant qu'ils en perdent leur fonction d'hommes sexués. Le risque de « dévirilisation » existe, identique au risque de « déféminisation » couru par les femmes. Dans les deux cas, le désir sexuel disparaît.

La construction sexuée du bébé fille

Une mère fait beaucoup plus que donner la vie. Elle façonne littéralement l'avenir de sa fille. Elle lui permet ou pas d'être sensible, sécurisée, éduquée pour un devenir de femme et de mère heureuse sachant vivre ces deux fonctions. Comme toute capacité humaine, la sexualité dépend d'une transmission de savoir et de connaissance. La construction de la féminité passe par la transmission des femmes. C'est à elles d'apprendre aux filles ce qu'est une femme.

L'instruction de la fille a pour but de planter les graines de sa future féminité, de lui permettre d'inscrire dans les cellules de son corps la double vocation de son sexe : celle du plaisir et de la jouissance sexuelle qui la fera se sentir femme et celle de la reproduction qui la fera devenir mère. Les informations dont dépendent sa construction sexuée se modifieront et évolueront avec l'âge de l'enfant. L'important est d'avoir à l'esprit que la fille a besoin d'être promise à devenir adulte.

Dans notre culture, il est tacitement entendu que la mère sait transmettre à sa fille le plaisir de devenir mère. C'est loin d'être vrai, comme en témoigne l'existence d'un service de maternologie dirigé par le docteur Jean-Marie Delassus, où l'on apprend aux mères à être des mères quand elles n'ont pas reçu cette transmission.

Par contre, il est occulté que la féminité doit se transmettre pour que la fille puisse se sentir une femme heureuse de l'être.

Pour une petite fille, le rideau du théâtre de la vie s'ouvre sur sa prédestination à devenir une mère, mais aussi une femme « fière du génie de son sexe ». Les femmes de ma génération ne savaient pas que ce n'était pas la même chose d'être une mère et d'être une femme.

Devenir mère est une fonction qui n'équivaut pas à être une femme. Ce ne sont ni les mêmes forces qui sont mobilisées ni les mêmes objectifs qui sont engagés, car les fonctions féminines et maternelles ne se situent pas dans le même espace-temps. On n'est pas la même personne quand on s'occupe de ses enfants et quand on fait l'amour avec l'homme qu'on aime.

Freud a théorisé la construction sexuelle du garçon. Cette théorie a malencontreusement été adaptée à la fille. Jusqu'à ce que Françoise Dolto y remédie[1], les thérapeutes considéraient la construction sexuelle de la fille comme le désarroi où la plongeait le fait de ne pas avoir de pénis, comme si elle n'avait pas son propre sexe. Or, si l'on donne à la petite fille les informations qui l'instruisent sur la manière dont elle est faite – c'est-à-dire comme sa mère –, elle ne sera aucunement dévalorisée de son anatomie de

---

1. Françoise Dolto, *Sexualité féminine. La libido génitale et son destin féminin*, Paris, Gallimard, 1996.

femme. Au contraire, elle aura compris qu'elle est différente de son père, de ses frères et des hommes en général pour en être complémentaire et que le sexe de l'homme et celui de la femme sont faits pour s'emboîter comme des légos. De même que le petit garçon doit savoir que la fonction de ses testicules est de donner la vie qui passera par son pénis en érection, la petite fille doit connaître l'existence et la fonction du clitoris, du vagin, de l'utérus et des ovaires. D'ailleurs, si on la laisse s'exprimer, elle dit elle-même : « J'ai un trou et un bouton[1]. »

Aujourd'hui, il n'est pas encore intégré dans nos mœurs que la sexualité adulte se construise dans le corps à corps affectif que l'on a eu tout petit enfant, au cours des trois premières années de notre vie. La petite fille se construit, comme le petit garçon, avec ce que sont ses parents, la façon dont ils la considèrent et s'occupent d'elle. Ils sont les modèles avec lesquels elle se construit. Leur histoire ancestrale, leur manière de vivre, leur état d'esprit, leurs pensées et leurs croyances vont l'instruire et lui permettre de se développer. La manière dont ils la regardent, s'adressent à elle, la touchent, la lavent, la nourrissent, la changent, lui parlent ou répondent à ses appels est ce qui structure et modèle sa croissance physique, affective et morale, ce qui

_____

1. *Ibid.*, p. 157.

construit son « sentiment de soi[1] » et sa sécurité de base.

C'est à travers tous ces échanges que son corps va s'imprégner et imprimer la connaissance de ses différentes fonctions et capacités à venir. Tout ce langage affectif va constituer une mémoire. Ces échanges façonnent littéralement la fille en obéissant à des stades de construction et d'intégration successifs qui lui permettront de devenir elle-même.

Tant qu'elle ne parle pas, ces premières informations lui arrivent « en bloc ». La petite fille n'en comprend pas encore le sens précis, mais elle en ressent du plaisir ou du déplaisir, de l'intérêt ou du désintérêt, du bienfait ou du désagrément, de la cohérence ou de l'incohérence.

La période de la dyade

Au cours de ses trois premières années, la petite fille évolue dans l'espace psychique de ceux qui s'occupent d'elle. Elle ne s'est pas encore séparée de ses parents : c'est la période de la « dyade », qui est, pour le psychanalyste Didier Dumas, celle de l'« originaire[2] », au cours de laquelle l'enfant duplique non seulement la

1. Françoise Dolto, *Le Sentiment de soi. Aux sources de l'image du corps*, Paris, Gallimard, 1997.
2. Voir Didier Dumas, *Et l'enfant créa le père*, Paris,

langue de ses parents, mais aussi leurs fonctionnements mentaux et leurs éventuels fantômes. La petite fille se construit alors dans l'espace géographique et interpsychique de ceux qui prennent soin d'elle. Elle le fait en « piochant » et en intégrant les « briques d'information » qui lui sont proposées par cet environnement. Elle assimile ainsi les mœurs, les formes de pensée et la structure sentimentale et sexuelle des adultes auxquels elle s'identifie, ce qui crée les ressemblances mentales avec ses géniteurs.

Le tri des informations captées s'effectue grâce à un système de classification qui, à cet âge, est binaire. Pour le bébé et le petit enfant, les événements sont, comme les choses, « bons » ou « pas bons », plaisants ou déplaisants. La fillette sélectionne donc ce qui lui est le plus adéquat, le plus propulsif, afin de l'intégrer à la structure que constitue sa personnalité.

Le bébé fille construit ainsi une première représentation d'elle-même, de sa personnalité et de son sexe. Elle trouve la confirmation de l'intuition qu'elle a de sa féminité, d'une part dans le plaisir ou le déplaisir de ses parents à ce qu'elle soit une fille et, d'autre part, à travers les sensations que lui procure son sexe. Ces sensations de plaisir proviennent des échanges corporels et affectifs avec lesquels sa mère, son père

Hachette Littératures, 2000 ; et *Et si nous n'avions toujours rien compris à la sexualité ?*, Paris, Albin Michel, 2004.

et ses autres tuteurs prennent soin de son corps, et plus particulièrement des zones érogènes que sont sa bouche et son sexe.

Au niveau de la bouche, c'est la façon de la nourrir, de lui parler, de babiller avec elle, de chanter et de lui laisser découvrir le monde en mettant les objets dans sa bouche. Pour le sexe, c'est la toilette : la petite fille le découvre lorsqu'on le touche, le nettoie, le lave, le sèche et le soutient. Le sexe fait toujours partie de la toilette que les mammifères femelles prodiguent à leurs petits en les léchant. Les humains s'en occupent, eux, en le nettoyant, en le tenant au sec et en le soutenant pour que l'enfant soit à l'aise.

Ce sont ces attentions, ces façons de faire qui procurent des sensations spécifiques à travers lesquelles le bébé fille construit ses sensations érotiques. Celles-ci ne sont pas les mêmes et n'ont donc pas les mêmes effets si les soins sont doux, respectueux, effectués dans la tranquillité et la considération, ou s'ils sont mécaniques. Dans tous les cas, les sensations de la toilette marquent autant la petite fille quand sa mère ou son père la nettoient comme si son sexe n'existait pas – en l'excluant et en évitant d'y penser – que lorsqu'ils le considèrent comme un objet de convoitise. Ces informations infraverbales s'impriment dans les cellules du bébé fille en constituant les « engrammes ». Que son sexe soit nié ou, au contraire, trop estimé perturbe la construction de son image du corps et de sa « peau de sensation ».

C'est que son sexe soit reconnu en tant que tel qui permet à la petite fille de le considérer comme faisant naturellement partie d'elle-même.

Dans cette ambiance, elle apprend à marcher, à parler, à faire des phrases et à penser. Elle aborde les premières étapes de son humanisation. Elle se sent exister, peut s'ouvrir au monde et, vers deux ans et demi, elle acquiert la propreté sphinctérienne. Tout est alors en ordre pour que se mette en place un avenir de « femme non frigide ». En d'autres termes, elle sait parler, n'a plus besoin de couches, a acquis une motricité et une autonomie, une aisance de petite fille déjà préparée à ressentir le plaisir de sa future vie de femme. Mais elle n'a pas encore intégré dans son corps sa capacité d'accueil et de réception.

La petite fille commence par exprimer ses émotions et sensations en fonction du système de valeurs de son entourage. Ce qui veut dire qu'à la période de la dyade, le fait de vivre dans le même espace qu'une mère qui a du plaisir à faire l'amour et à être mère se transmet automatiquement à sa fille. Mais rares sont les mères « fières du génie de leur propre sexe et de celui de leur partenaire » !

À l'heure actuelle, les parents ne sont plus interdicteurs de la sexualité vis-à-vis de leurs enfants. Néanmoins, la plupart d'entre eux n'étant pas eux-mêmes construits, cette transmission automatique de la sexualité ne peut donc pas s'effectuer correctement. À ce niveau, il ne s'agit pas d'être des parents idéaux. Il s'agit d'être sincère, de savoir parler de soi et de sa propre enfance. En effet, quand une information est manquante, il suffit que les parents la fassent exister par la parole pour que l'absence de transmission ancestrale se dissolve. Les mots colmatent l'absence de transmission dont ont souffert les parents. Ils inscrivent dans le socle énergétique de leur fille la sexualité future qu'elle aura à construire. Dans ce cas, sa mère peut lui dire : « Je vais t'apprendre à être heureuse d'être une fille. Moi, je ne savais pas que je pouvais être heureuse de l'être et je n'y suis pas encore arrivée. »

Dire à ses enfants la vérité de ce qu'on ressent leur fait gagner beaucoup de temps en les aidant à mieux se situer eux-mêmes dans leur vie.

La vérité de son histoire

Vers trois ans, lorsque l'enfant entre dans une nouvelle période de sa vie que la psychanalyse appelle la période de l'œdipe, la petite fille a besoin de savoir comment elle a été conçue. Elle s'interroge sur le désir de ses parents avant sa conception. C'est l'âge où elle découvre qu'elle est sortie des testicules de son père et des ovaires de sa mère. Elle veut comprendre le rôle qu'a joué son père dans son arrivée au monde, surtout s'il n'est pas là, s'est séparé de la mère, ou est mort.

Si elle a été adoptée, la fillette a besoin de savoir pourquoi et d'entendre parler de sa mère génitrice[1] et de son père géniteur, même si c'est pour savoir qu'elle ne les rencontrera jamais. Il est alors bien sûr important de savoir qu'elle a été accueillie avec joie par sa mère et son père adoptifs, mais dans ce cas le point fondamental, celui dont dépend sa santé future, est de connaître la vérité de son histoire.

Si elle est née après un frère ou une sœur morts, même s'il s'agit d'une fausse couche, il est important de le lui dire. Pour elle, car cela l'informe de sa place dans sa fratrie ; mais aussi pour les parents qui, en en parlant, vont la différencier de cet enfant mort et l'aider à ne pas se confondre avec celui ou celle qui n'a pas pu vivre. Cela lui évitera d'être un « enfant de remplacement », avec les risques de perturbation qui en découlent[2].

---

1. L'adoption sous X, qui fait que l'enfant n'a pas le droit de savoir ni qui est sa mère ni qui est son père, est, à ce niveau, un scandale qui, en Europe, continue d'être pratiqué dans un seul pays : le nôtre...

2. Voir Anne Ancelin Schützenberger, *Aïe, mes aïeux ! Liens transgénérationnels, secrets de famille, syndrome d'anniversaire, transmission des traumatismes et pratique du génosociogramme*, 17ᵉ éd., Paris, Desclée de Brouwer, 2003, et Didier Dumas, *L'Ange et le Fantôme. Introduction à la clinique de l'impensé généalogique*, Paris, Minuit, 1985.

Il faut aussi qu'elle sache comment s'est déroulée la grossesse, les inquiétudes s'il y en a eu ou les problèmes familiaux qui se sont alors révélés. Les pathologies des parents qui apparaissent durant la grossesse concernent en effet les butées auxquelles l'intégration de leur future parentalité les confronte de par leur propre histoire. L'accouchement, son déroulement et la naissance doivent aussi être racontés : si l'enfant a eu le cordon autour du cou, qu'il a fallu utiliser des forceps, ou que sa mère a subi une césarienne. Si elle a été malade, mise en couveuse ou hospitalisée, la fillette doit savoir comment elle a été accueillie, quelle était l'ambiance familiale autour de son berceau, à qui elle ressemblait, et ce qui s'en disait.

Bien sûr, il ne faut ni submerger la fillette d'informations inutiles ni l'envahir émotionnellement, mais savoir qu'elle est concernée par les circonstances et les émotions contingentes à son arrivée sur terre. Les mots justes l'installent en elle-même, car ils lui permettent d'associer la vie symbolique des sentiments et des paroles qu'elle reçoit à celle des sensations qu'elle perçoit. Ils créent une cohérence entre le dit et le ressenti, ce qui lui permet de se construire unifiée. À l'âge adulte, cette concordance lui permettra de ressentir son corps et de savoir s'exprimer en faisant l'amour.

Ne pas vouloir la blesser pour lui épargner les difficultés inhérentes à la vie est une erreur. Ce sont, au contraire, les manques de parole qui l'enferment dans son seul univers mental, sans qu'elle puisse établir de lien avec ce qu'elle ressent. Seule la vérité lui permet d'acquérir ce qui lui fait défaut et, si cette vérité lui est cachée, adulte, elle flottera sans comprendre pourquoi, écartelée entre le penser et le ressenti, comme toujours en attente de la mystérieuse information que sa mère et son père ne lui ont pas donnée.

Trouver sa propre reconnaissance

En entendant ses parents parler d'elle, la petite fille perçoit sa valeur et se sent exister. Si ses parents lui disent qu'elle est formidable d'entreprendre ce qu'elle fait, d'y arriver si bien et ainsi de grandir, la voilà confirmée dans ses actes. Avec eux, elle apprend à connaître son corps, à en nommer toutes les parties, y compris son sexe. Il s'agit alors d'être précis sur le fait que sa vulve et son clitoris ne forment que la partie apparente de son sexe, qu'à l'intérieur il y a le vagin, l'utérus et des ovaires, et que, lorsqu'elle sera grande, elle pourra ressentir le plaisir d'être une femme dans son ventre et avoir des enfants.

Il est stupide que les parents expliquent la sexualité, comme cela se fait encore trop souvent, d'une façon abstraite ou scientifique qui élude la question du plaisir. Cela exclut les sensations que l'enfant ressent dans son corps et les questions que celles-ci soulèvent en lui. Si la mère voit sa petite fille toucher son sexe en y prenant plaisir, il faudrait qu'elle lui dise : « C'est là que tu es une vraie fille, tu es comme maman, tu auras plaisir à être une femme[1]. » Si aucun mot concernant le plaisir du sexe n'est dit, la manipulation érotisante peut devenir compulsive, sans que l'enfant comprenne rien à ce qui lui arrive. Présenter ainsi la masturbation comme naturelle la confirme dans son statut de fille et permet à sa mère de la reconnaître dans son futur statut de femme. Une parole simple mais juste suffit à tranquilliser la petite fille et l'empêcher de perdre le contact avec le monde extérieur par l'excitation intempestive de son sexe.

En grandissant, sa bouche et son sexe deviennent des substituts de la relation à sa mère. Ils ont été, grâce à elle, les premiers lieux d'échanges agréables. Si sa mère lui explique comment elle est faite et l'autorise à mener ses propres recherches, la petite fille aura autre chose à explorer dans la vie et n'aura pas besoin de s'accrocher compulsivement à son sexe. Sauf quand il le fait pour s'endormir, un enfant ne se masturbe que s'il est angoissé ou s'il s'ennuie. L'éducation sexuelle de la toute petite fille, en plus des mots,

---

1. Françoise Dolto, *Sexualité féminine*, *op. cit.*, p. 157.

a pour but de lui faire découvrir toute la mobilité et l'agilité de son corps qui lui permettront d'être bien dans sa peau de femme plus tard.

La vocation du père et la différence des sexes

L'intégration du sexe de l'enfant s'effectue dans la petite enfance en s'identifiant au parent du même sexe : la petite fille se construit en s'identifiant à sa mère, et le garçon en s'identifiant à son père. En s'identifiant à sa mère, la petite fille se projette dans son avenir de femme. Mais comme à cet âge l'univers se limite aux parents, elle en construit le désir avec son père en voulant qu'il lui fasse un enfant. « Quand je serai grande, dit-elle alors, j'habiterai avec papa et on aura un bébé que je pousserai dans la poussette. » C'est ainsi qu'elle apprend à anticiper l'avenir, avant même d'avoir pleinement intégré la notion du temps. En imaginant qu'elle peut être la femme de son père, elle devient une autre personne que sa mère.

Elle sort ainsi de la dyade qu'elle avait jusqu'ici formée avec elle. Il n'est pas alors la peine de lui faire tout un discours pour qu'elle comprenne que ce n'est pas possible. Il faut au contraire lui témoigner qu'elle grandit. Sa mère a été, elle aussi, une petite fille qui, comme elle, voulait la même chose avec « grand-père », son papa à elle. Cela ne l'a pas empêchée de rencontrer un autre homme.

À cet âge, le rôle du père n'est plus d'assister sa fille comme il l'a fait jusqu'alors, mais de lui permettre de comprendre qu'il ne possède pas les mêmes forces que sa mère et n'a donc pas la même fonction. Il est quelqu'un d'autre que sa mère. Si elle a pu arriver sur terre, c'est par ce qu'ils étaient deux et qu'ils sont différents : pour lui ses forces sont dans ses testicules, pour elle dans ses ovaires. Et comme leur rencontre se fait dans le corps de la mère, les forces du père vont du dedans vers le dehors de son corps, elles sont émissives, alors que les forces de la mère sont réceptrices, donc dirigées du dehors vers le dedans.

Le père est le premier objet du désir de la fille, après sa mère. Sa présence protège et verticalise la fillette et construit son désir futur pour un homme. Il est l'autre moitié grâce à quoi la fille est là. Pour l'enfant, il n'y a donc pas plus de père sans mère que de mère sans père. Chacun s'intronise l'un l'autre et chacun crée l'autre. Il ne faut jamais perdre cela de vue : dans la vie quotidienne, les rôles du père et de la mère sont toujours imbriqués et n'existent que l'un par l'autre, que ceux-ci vivent ensemble ou non.

Le père est aussi important dans la construction de la fille que dans celle du garçon, car c'est lui qui permet à la fille de se différencier de sa mère. D'ailleurs les femmes qui n'ont pas été reconnues par un père ou qui n'ont jamais pu vivre avec lui ont du mal à avancer dans la vie. Elles ont tendance à rester enfermées dans leur mère, comme si celle-ci ne les avait faites que pour elle-même, ou bien ces femmes n'arrivent pas à trouver un homme, ou encore elles sont incapables de savoir vivre avec lui.

C'est à travers son père que l'enfant découvre le monde extérieur. Le père témoigne ainsi qu'il y a autre chose qu'une mère dans la vie. Il ouvre à l'enfant la porte du monde. Il lui donne les « outils » qui vont lui permettre de savoir se débrouiller seul dans la vie : c'est en ce sens qu'il est séparateur de mère.

Le fait que l'homme ne porte pas l'enfant dans son corps lui permet de le porter dans sa tête. La relation à sa fille s'établit ainsi plus par l'esprit que par le corps, dans un processus où ce sont avec les idéaux, les valeurs, la pensée et les désirs de son père que la fille modèle les siens. Toutefois, d'avoir éprouvé, bébé, une relation de corps avec son père est important dans sa construction, car si la fille a été portée, changée et cajolée par un père, adulte, elle n'aura pas peur des hommes. D'avoir été prise sur les genoux et les bras de son père lui permettra de se lover sans crainte dans ceux d'un homme. D'avoir ressenti une relation de tendresse avec lui donne à la fille un « savoir cellulaire » de ce qu'est l'énergétique d'un homme. Lorsqu'elle en aimera un, c'est cet échange d'énergie, qu'elle a connu toute petite avec son père, qu'elle reproduira dans sa rencontre amoureuse. Et ce, d'autant plus que cet échange énergétique est celui de la féminité dont elle a trouvé les clefs chez sa mère.

Ce qui crée le père est son plaisir et sa fierté d'avoir une fille. Le regard qu'il porte sur elle, en la considérant comme une future femme et une future mère, inféode donc obligatoirement sa vie sexuelle, car ce regard est ce qui la structure dans son devenir de femme. Toutefois, pour que la fille ne reste pas fixée à lui, il faut qu'elle ait pu renoncer à devenir « sa femme ». Il faut que le père le ressente et l'exprime. C'est ce qu'on appelle « l'âge de raison » ou la « fin de l'œdipe ». Il est donc important que son père lui signifie qu'il est heureux qu'elle soit là, qu'elle sera une belle femme quand elle sera grande, mais que c'est sa mère qui l'intéresse comme femme.

C'est à travers les yeux de sa mère que la petite fille découvre l'importance qu'a pour elle le sexe du père, mais c'est aussi à travers les yeux de son père qu'elle voit sa mère comme une femme[1]. Il est donc important qu'il lui parle de son amour pour elle en lui disant : « Mais je ne t'aimerai jamais comme ma femme puisque tu es ma fille[2]. »

---

1. Didier Dumas, *Et l'enfant créa le père*, Paris, Hachette Littératures, 2000.
2. Françoise Dolto, *Sexualité féminine*, *op. cit.*, p. 16.

L'interdit de l'inceste est une loi universelle qui, afin de préserver la succession des générations, interdit les relations sexuelles en famille et concerne les deux parents, car lorsqu'il y a inceste dans une famille, il y a obligatoirement une complicité de la part de la mère, qu'elle le sache ou pas. C'est alors qu'on retrouve toujours des relations incestueuses méconnues dans les deux lignées. L'interdit de l'inceste doit donc être expliqué, non pas parce que la fille est trop petite, mais pour ne pas l'enfermer dans l'écrasement de deux générations et lui permettre, plus tard, de rencontrer des hommes sans honte ni traumatisme ni culpabilité. Elle sera alors à même d'apprécier leur compagnie et de s'y sentir femme sans se considérer comme un objet sexuel.

Autant il est important que la mère signale à sa fille le rôle régénérant de la sexualité et le plaisir qu'on prend à être une femme, autant il est important que le père fasse la même chose, c'est-à-dire se présente lui aussi comme un homme pouvant témoigner des bienfaits de la sexualité. Malheureusement, il est fréquent que mes clientes découvrent la vie sexuelle de leur père à sa mort. « C'est la sexualité cachée de mon père, me disait récemment l'une d'elles, qui m'a fait découvrir la sexualité. » Les hommes sont, eux aussi, souvent restés coincés dans les modèles sexuels de leur père et de leur grand-père, c'est-à-dire dans une sexualité clivée entre

« la maman et la putain ». Si les pères ont une sexualité clivée, la vivent comme innommable ou considèrent que les enfants n'ont pas à être informés de cette dimension de la vie, il leur est difficile de pouvoir témoigner à leurs enfants que leur sexualité les aide à vivre. Ces hommes sont souvent dramatiquement silencieux. Ou bien, tout en défendant des principes de rigueur de vie complètement inadaptés à l'éducation de leurs enfants, ils donnent l'impression d'avoir « avalé un manche à balai ». D'autres sont violents, irascibles et coléreux, ou insupportables d'indisponibilité, rigides, comme s'ils ne savaient pas être vivants, aimants, généreux et contents d'avoir des enfants.

Ces attitudes rigides témoignent souvent de ce qu'elles ont à cacher. C'est alors en grandissant que mes clientes découvrent que leur père avait des maîtresses, une double vie, d'autres enfants dont elles n'ont jamais entendu parler, qu'il a vécu sa bisexualité avec des amants clandestins, ou encore qu'il était prêtre et que c'est pour cela qu'il n'a jamais pu vivre avec ses enfants. Elles peuvent aussi découvrir que son silence provenait de ce qu'il n'avait plus aucune sexualité. L'arrivée des enfants et la répétition transgénérationnelle l'ayant fait tomber dans le « trou » ou l'absence de son propre père, elles découvrent ainsi qu'il était, le sachant ou non, complètement déprimé.

L'encombrement le plus lourd qui concerne le père dans la sexualité de la fille est qu'il soit, consciemment ou non, interdicteur de toute rencontre avec d'autres hommes : qu'il veuille la garder à lui tout seul, et ce, d'autant plus sournoisement qu'il se présente à elle comme un individu asexué. C'est soit qu'il a peur du pouvoir des femmes, soit qu'il plaque et projette sur elle sa propre part féminine, celle qu'il n'a pas pu, ou pas osé, vivre lui-même. En d'autres termes, n'ayant pas pu accueillir sa propre féminité, il demande à sa fille de le faire à sa place.

Informer la petite fille
que son sexe accueillera plus tard
le sexe d'un homme

C'est entre trois et six ans que la mère doit instruire la fille du plaisir qu'il y a à grandir, non seulement pour devenir mère, mais aussi pour le plaisir d'être une femme. Ce plaisir, la petite fille ne peut le connaître maintenant parce qu'elle est trop petite, car elle ne peut le vivre ni avec elle, ni avec son père, ni avec d'autres.

C'est à partir de trois ans que la petite fille, grâce à l'acquisition de la parole, entreprend de séparer son espace psychique de celui de ses parents. Il est donc important de lui donner, dès cet âge, une représentation de la vie et de la sexualité qui lui permette de relier d'une façon cohérente ses sensations au registre du langage parlé. Cela, afin qu'elle puisse verbaliser ce qu'elle ressent. Pouvoir en parler avec sa mère est ce qui lui permet de se sentir unifiée et cohérente en elle-même.

Sans cette parole, le registre des sensations est refoulé. Devenue adulte, la femme se retrouvera clivée au niveau de sa sexualité : elle saura caresser et aimera les caresses, mais au niveau de sa peau de sensations elle restera toute en surface, aussi douce qu'un bébé impénétrable. Dans les bras de l'homme aimé, elle jouira du plaisir qu'est la retrouvaille de sa peau d'enfant, en ignorant qu'elle peut et doit s'ouvrir pour accueillir en elle les forces de son sexe.

Ce ne sont plus les câlins, doux et délicieux, qu'il s'agit de retrouver, mais quelque chose de nouveau : l'inconnu qui nous traverse et nous envahit lorsque les sexes des hommes et des femmes se rencontrent et s'emboîtent. Voilà ce que la petite fille a besoin de comprendre : qu'il s'agit d'un plaisir qui se vit quand on est grand et qu'on se plaît, que ça rend la vie plus riche et plus intéressante.

En fait, cette étape est un processus psychique qui permet d'intégrer la différence des rôles et des fonctions complémentaires de l'homme et de la femme. C'est de connaître ces différences et de les intégrer qui instruit la fille des réalités de la vie. C'est aussi ce qui lui permettra à l'adolescence de se séparer énergétiquement de ses parents pour se propulser dans la vie, faire de nouvelles rencontres, vivre sa vie de femme et ne pas s'effondrer à la mort de sa mère.

L'intimité des parents

Il est important que la fille comprenne en quoi leur intimité renforce ses parents l'un l'autre, qu'elle le découvre au fil du temps et à travers ce que ses parents en témoignent. C'est ainsi qu'elle comprendra que la sexualité n'est pas seulement une histoire de reproduction, mais aussi de plaisir. Si sa mère lui dit : « Le sexe de ton amoureux deviendra gros et fort quand il sera en toi, et toi tu seras toute contente comme je le suis maintenant avec ton père », il est sûr qu'elle aura envie de faire la même chose plus tard.

Les enfants sont toujours ravis quand les adultes s'embrassent devant eux, témoignent de leur complicité ou sont joyeux de s'être rencontrés. Combien de mes clientes se plaignent de la froideur de l'ambiance asexuée de leur enfance dans laquelle leurs parents ne s'adressaient jamais le moindre geste de tendresse ni de sensualité ! Les fonctions parentales sont asexuées, et la majorité des parents y restent confinés. Ils ne présentent à l'enfant que des figures d'un père et d'une mère qui continuent de penser, comme au début du XXe siècle, qu'il est malséant de parler de sexualité devant leurs enfants, comme si cela allait les traumatiser, alors que c'est leur rôle de leur expliquer ce qu'est la vie.

Exclure la sexualité de l'ambiance familiale est une erreur. Autant il est important que les adultes ne s'exhibent pas et soient pudiques, autant il faut signaler que la sexualité fait partie de la vie. Le père a d'ailleurs, ici, son rôle à jouer pour permettre au couple de se retrouver. Par exemple, il pourrait dire à sa fille : « Trouve une occupation pour un temps, parce que avec ta mère on a envie de se retrouver tous les deux pour faire l'amour. »

Même lorsque la mère vit seule ou n'arrive pas à vivre sa féminité d'une façon satisfaisante, elle devrait le signifier à sa fille, en lui disant par exemple : « Moi, je ne savais pas que j'aurai des difficultés à vivre ma sexualité avec les hommes et avec ton père en particulier. J'ai appris des choses depuis, et je te souhaite de savoir apprendre à la vivre. »

Quand les parents vivent une sexualité revitalisante, l'ambiance familiale est différente, la bonne humeur circule dans la maison et chacun alors y occupe sa place. Cela transmet du futur, la petite fille est aimée pour ce qu'elle est. Elle n'est pas réprimée si elle parle de sexualité, elle est curieuse du monde et, avec le temps, se responsabilise de plus en plus.

« *Mais où j'étais avant ?* »

En réponse à cette question, si les parents déclarent à leur petite fille qu'avant sa naissance ils pensaient déjà à elle et la désiraient, la voilà soudainement radieuse. Le travail éducatif des parents doit non seulement répondre aux questions concernant la sexualité, mais aussi à celles qui parlent de la mort. Si la petite fille comprend qu'il est possible d'exister dans des pensées, des mots et des désirs, elle peut s'apercevoir qu'il y a plusieurs façons d'exister. Ainsi admet-elle la mort, en se disant qu'une fois qu'on est mort il est possible, comme avant de naître, d'être relié à ceux que l'on aime, même si on ne les voit plus.

Les générations passées ont forgé en nous l'interdit de parler de la mort aux enfants. Lever ce tabou nous autorise à penser que nous sommes mortels, et à nos enfants de le savoir. Il est donc important de permettre aux enfants d'assister aux enterrements. De pouvoir participer à un rituel de départ leur fait comprendre que les parents prolongent les grands-parents et qu'eux-mêmes prolongeront les parents. Ils intègrent ainsi la dimension transgénérationnelle de la vie.

Les petites filles ne s'y trompent pas lorsque, en voyant les bijoux de leur mère, elles lui demandent avec délicatesse : « Est-ce qu'un jour ils seront à moi ? » Il faut savoir répondre à ce genre de question, sans être blessée d'être ainsi catapultée dans la tombe. Pouvoir lui dire : « Je ne sais pas si tous seront encore là, j'en aurai peut-être déjà offert. Il faudra aussi peut-être les partager si, d'ici là, tu as un frère ou une sœur, mais il est sûr que tu en auras. » Car c'est en lui répondant ainsi qu'on lui permet de se projeter dans l'âge adulte.

Cette période est surtout celle des questions et des pourquoi. C'est l'âge où la petite fille construit ses propres valeurs. Il est donc déstructurant de ne pas lui répondre. On peut lui dire qu'on ne sait pas, qu'on n'a jamais pensé à cela, qu'on va se renseigner, ou qu'elle peut demander à une autre personne plus qualifiée. Nul n'est obligé de tout savoir, mais il convient de ne pas faire semblant ni d'éluder. Il ne faut jamais laisser l'enfant en panne.

Si deux adultes qu'elle apprécie, ses oncles, ses tantes, des amis ou ses parents, ne sont pas du même avis, cela est bénéfique s'ils ne se disputent pas, car c'est ce qui l'aide à apprendre à penser par elle-même. Faire semblant de ne pas avoir entendu pour éluder la question, comme le font souvent les adultes, est d'autant plus incohérent que l'incohérence des parents se transmet à l'enfant et rend la fille incohérente elle-même.

La période des questions est transitoire. Elle ne se prolonge généralement pas au-delà de six ou sept ans, âge à partir duquel la fillette doit avoir intégré qu'elle ne vivra pas toute sa vie ni avec sa mère ni avec son père. C'est alors qu'elle s'autorise à avoir des « fiancés », des « amoureux » ou des « préférés » sans en être coupable et sans opposer cela à l'amour de ses parents. Ceux-ci doivent être alors aussi consentants que très discrets.

Lorsque la fille a atteint l'âge de raison, à sept ans, elle entre dans ce que Freud appelle la période de latence, au cours de laquelle le sexe n'est plus investi. Toute sa curiosité se déplace dans le rapport aux copines, les activités sociales, culturelles, artistiques ou sportives. La sexualité n'est plus au centre de sa vie.

L'avènement des règles replace la jeune fille dans ses lignées de femmes. Elle a besoin d'une complicité avec sa mère pour réaliser facilement ce passage, être intronisée et propulsée dans le monde des femmes. Elle compte sur un discours et un comportement de sa mère qui lui soient adaptés au fur et à mesure de son évolution pour lui donner confiance. Les mères de nos générations n'ont pas été préparées par le social à ce discours ni à ce comportement naturel avec leur fille, ne l'ayant pas reçu elle-même de leur propre mère ni de la société.

L'âge de treize ou quatorze ans correspond à la denture définitive. Dans ce nouveau corps où elle ne se sent pas encore bien à l'aise, la petite jeune fille se découvre, dans la glace, un sourire qui lui permet de se projeter dans l'avenir, en future femme.

Le puits sans fond et la chute dans la dépression

« À la mort de ma mère, j'ai perdu le lien à l'homme que j'aimais. Juste avant sa mort, quand j'ai réalisé qu'elle était mortelle, j'ai cessé d'être la femme de cet homme sans vraiment m'en apercevoir. Un grand trou m'a aspirée, je n'étais plus en moi, je n'étais plus là », me dit Armelle.

Quel que soit leur âge, il est très fréquent pour les femmes de s'écrouler à la mort de leur mère, car c'est le modèle qui les a construites et auquel elles sont toujours liées qui disparaît sans qu'elles aient pu s'y préparer. Le lien maternel est resté si puissant que la disparition de la mère opère une perte de socle et de fondement de la structure énergétique de la fille. Qu'elle soit déjà adulte, mère de famille, voire déjà grand-mère, elle s'effondre. C'est un véritable tremblement de terre, ses repères habituels disparaissent. Déstructurée, la femme se retrouve catapultée dans un *no man's land*, elle devient une autre personne, perdue, fragile, toute petite, sans défense.

« Je ne voulais plus m'habiller, raconte Patricia, je restais tout le temps en robe de chambre, je ne sortais plus de la maison, je saignais du nez, j'avais mal à la tête, des nausées en permanence, j'étais d'une faiblesse incroyable, je ne pouvais plus bouger. Tous les matins, je vomissais et seules les piqûres de Primpéran m'enlevaient les nausées et me permettaient de manger. J'étais obsédée par la décomposition du vivant. J'observais le pourrissement des fruits et des légumes, je laissais exprès les blattes envahir la maison. Jour après jour, je regardais comment les champignons se développaient. J'étais en fait moi aussi dans ce processus de décomposition, mais cela je ne l'ai compris que plus tard. Je ne me disais même pas : "Je pleure parce que j'ai perdu ma mère", je me disais : "Je suis du rien." Je n'avais plus de vie en moi. Je ne voulais plus faire l'amour, je ne voulais plus qu'on me désire comme une femme. Je n'étais plus heureuse d'être une femme. Je ne désirais plus rien. »

La mort de la mère nous tombe dessus, nous fait plonger dans un puits sans fond, nous fait perdre notre « sécurité de base », nos repères. Nous ne sommes plus alors des femmes. Soit nous ne sommes plus là, soit nous devenons du rien.

Un tel effondrement met en évidence que toute notre vie d'adulte est remise en question dans notre construction. On croyait être libre, on croyait être indépendante, on croyait avoir fait sa vie et ses choix, mais tout à coup la mère disparaît et l'on n'est plus là.

On se rend compte alors combien ce lien invisible à notre mère était encore sournoisement puissant : on était resté un « territoire occupé ».

La mère était donc « notre tout », et sa disparition nous rend incapable de tout autre lien d'amour.

L'importance de la dépression que provoque la disparition de la mère, puisque c'est bien de dépression qu'il s'agit, dépend alors du socle énergétique personnel que la femme s'est construit jusque-là : comment elle a construit en elle la femme qui travaille, la femme maternelle qui élève ses enfants, la femme désirée et désirante, son rapport à sa famille et à ses amis, et son rapport à la spiritualité.

Si la notion de mort n'a pas été transmise à la fille avant qu'elle ne soit en deuil, des pans entiers de sa personnalité ne fonctionnent plus comme avant. Non seulement certaines parties ne sont plus vivantes, mais elles sont envahies par les fantômes, prisonnières des deuils non faits des générations antérieures.

Patricia réalisera bien plus tard, lors de sa thérapie, que son effondrement provenait d'un double deuil non fait : le sien et surtout celui que sa mère n'avait jamais fait de sa propre mère puisque celle-ci avait été orpheline à l'âge de dix-huit mois.

C'est ce qu'a compris une autre de mes clientes, Marie-Claude, qui elle aussi s'est effondrée à la mort de sa mère : « Ma mère n'avait pas fait le deuil de sa propre mère, mon père non plus d'ailleurs. Cela, je le savais ; grâce à mon travail analytique, je l'avais intégré. Mais à la mort de ma mère, la violence de ma réaction m'a surprise. Je n'avais plus aucun goût à la vie, j'étais à la dérive et je suis retournée chez mon analyste pour y trouver une amarre. Mon chagrin était bien le mien, mais mon effondrement ne m'appartenait pas. Le trou dans lequel j'étais tombée était celui où ma mère avait sombré à la mort de la sienne sans jamais s'en extirper. Je me suis retrouvée dans le deuil non fait de la mort de la mère de ma mère, ma grand-mère maternelle, que je n'avais jamais connue. »

Quand la fille hérite du deuil non fait de sa ou de ses grand-mères, sa déstructuration à la mort de sa mère est d'autant plus grande que son deuil à elle est alourdi des deuils non faits des générations antérieures. Elle sombre alors dans les énigmes de son passé.

Marie-Claude prend conscience de son état à partir d'un rêve : « J'étais dans un tunnel vertical et sombre où il n'y avait pas de plancher. Dans ce tuyau vertical, je flottais. Je montais et descendais sans arriver à comprendre où j'étais. Je voyais mon corps constitué d'un brouillard dense et gris clair. J'étais fascinée, je voulais savoir où j'étais, je ne pouvais pas décoller de là. Cela faisait des mois que je m'étais recroquevillée sur moi-même en perdant toutes mes forces, je n'avais pas vu le temps passer. C'est alors que j'ai réalisé que j'étais enfermée dans un espace où je me vidais de toute mon énergie. »

Patricia, elle, a mis beaucoup plus longtemps à émerger de sa profonde dépression : « Je ne pouvais parler de ma souffrance avec personne. Mon mari me disait : "Je ne sais pas pourquoi tu te mets dans des états pareils. Ça fait deux ans qu'elle était malade, ta mère ; tu t'attendais bien à sa mort !" Ma meilleure amie me disait : "Mais tu as fait tout ce qu'il fallait ! Tu savais bien que ça allait arriver, tu savais qu'elle allait partir !" Oui, je le savais, mais je ne l'avais pas vécu. Je ne savais pas que j'allais réagir si violemment et me perdre à ce point. Finalement, je ne m'y étais pas préparée. J'avais l'impression que personne ne me comprenait. Les amies qui n'avaient pas perdu leur mère étaient stupéfaites et ne savaient pas m'aider. J'étais comme une automate, branchée en pilotage automatique. Je ne ressentais même pas de la soufrance, ma personnalité s'était volatilisée. »

Quête du sens et renouveau

C'est alors que Marie-Claude tombe par hasard sur la lecture du récit d'un homme qui avait perdu sa femme et racontait la traversée de sa dépression : il disait qu'il ne fallait pas s'attarder trop longtemps dans ces états, « car c'est comme ça qu'on devient malade ». Elle raconte : « J'ai su que c'était vrai. J'ai pris alors conscience que j'étais en train de mourir et probablement que j'étais en train de rejoindre ma mère. Cela m'a paru tout à coup évident. Je n'en revenais pas, j'avais sombré dans les limbes de la mort sans m'en rendre compte ! À partir de là, il a fallu que je décide si je voulais vivre ou non. Ce n'est pas tellement que j'aie décidé de vivre, mais j'ai décidé de ne pas sombrer dans la maladie, de ne pas devenir une charge pour ma famille et mes amis. C'est comme ça que j'ai récupéré une bribe de mon propre désir. Ne pas tomber malade est devenu le fil conducteur de ma vie. Ce n'était pas en restant dans ce brouillard dévitalisant que j'allais pouvoir me récupérer. Je devais changer ma façon de penser et de me comporter, trouver la force de sortir de ce vide qui obscurcissait tout. Je me suis mise à écrire pour noter ce qui se passait en moi. J'ai commencé à aller mieux, mais le désir seul ne suffisait pas, j'avais besoin de forces supplémentaires pour m'extirper d'où j'étais et retrouver l'enracinement à la réalité terrestre. J'ai compris qu'il fallait que je me fasse aider pour trouver des forces supplémentaires. »

Patricia, elle, avait décidé de mourir. Elle attendait la mort quand l'intention de laisser une trace à la postérité l'a mobilisée : « Non, il ne faut pas que je meure tout de suite, je dois d'abord écrire pourquoi je veux mourir. J'ai retrouvé le plaisir de mettre des mots sur du papier. C'est ce plaisir qui m'a fait réaliser que je ne voulais plus mourir, et c'est lui aussi qui m'a révélé des forces en moi que je ne connaissais pas. J'étais habitée par une énergie extraordinaire qui me reconstruisait. Comme l'écriture était le déclencheur de ma survie, je m'y suis accrochée et elle est devenue un pilier. Je n'avais jamais écrit de scénario de ma vie. Je me suis lancée dans l'écriture du scénario dont je rêvais depuis toujours. Je le présente, je gagne le concours, je deviens scénariste et réalisatrice. C'est pourquoi j'ai pu dire après bien des années que ma mère, en partant tôt de ma vie, m'avait fait un réel cadeau. Cette mort m'a révélée à moi-même alors qu'avant, même si j'avais l'impression de faire ce qui me plaisait et m'intéressait, je continuais d'être dans son désir à elle, je vivais toujours pour elle. »

Les mères ont une responsabilité énorme vis-à-vis de leurs filles. Non seulement elles façonnent leur avenir, mais elles ont aussi le devoir de les propulser en dehors d'elles, de leur donner les moyens de se rendre autonomes. Autrement dit, si la mère ne donne pas à sa fille les moyens de se rendre indépendante en dehors d'elle pour se construire en femme adulte, celle-ci restera toute sa vie sous son emprise et, le jour de sa mort, elle s'effondrera.

Pour que la construction sexuée de leurs filles soit harmonieuse, les mères ont à faire un travail personnel sur leur propre sexualité ; de même, pour permettre à leurs filles de se construire en dehors d'elles une vie de femme adulte, il serait souhaitable qu'elles fassent un repérage trangénérationnel pour bâtir leur propre base énergétique et la vérité de leur histoire.

Les mères et leurs filles se prolongent et se contiennent, il n'y a pas de coupure. De par la capacité de procréation, le lien d'amour exclut la mort. C'est véritablement un phénomène de « poupées russes » : je contiens ma mère qui contenait sa mère qui contenait sa mère, et ainsi de suite. Les mères nous ont donné la vie et nous appellent dans leur mort. Nous avons été leur « tout » et elles sont devenues notre « tout ». Notre vie sans notre mère n'a plus aucun sens, c'est elle qui meurt en nous si nous la contenons toujours.

Pour rompre avec cette roue sans fin, on pourrait dire qu'aujourd'hui, avant de songer à transmettre la vie, il serait souhaitable que les femmes aient bâti pour elles-mêmes un socle énergétique et transgénérationnel suffisamment stable pour ne plus avoir autant besoin d'investir la vie de leurs filles. Mieux les futures mères seront « construites », moins elles garderont leurs filles sous leur emprise.

Quant aux grand-mères d'aujourd'hui, qui ont connu la contraception et qui, au cours de leur vie, ont su intégrer les différentes étapes de l'émancipation des mœurs, elles ont un rôle à jouer dans la transmission de l'histoire familiale. Elles vont pouvoir ainsi renforcer le socle énergétique de leurs petites filles en sachant leur transmettre ce qu'elles n'ont pas su transmettre à leurs propres filles.

CHAPITRE V

Les arbres gynécologiques

Avec les inflammations formant une barrière de feu, nous avons vu comment le sexe manquait de transmissions pour savoir s'ouvrir à l'autre. Maintenant, nous allons voir comment il est porteur de pathologies relatives à nos lignées de femmes lorsqu'il est encombré, souffrant, malade, stérile ou fécond de façon inopportune. Nous sommes les héritières de celles qui nous ont mises au monde. C'est avec elles et par elles que nos organes féminins se mettent en place et acquièrent leurs fonctions. Nous héritons de leurs forces comme de leurs faiblesses.

Les règles douloureuses

« Jeune fille, quand j'avais mes règles, me dit Josiane en consultation, je ne pouvais rien faire d'autre que d'être allongée avec une bouillotte sur le ventre. C'était le seul moment où ma mère s'occupait de moi.

– Votre mère avait donc eu aussi des règles douloureuses ?

– Oui, mais sa mère lui disait qu'il ne fallait pas s'écouter. Ma grand-mère maternelle était une femme sévère qui travaillait dur. Elle-même n'avait jamais souffert de ses règles. C'était sa sœur aînée qui en souffrait et seule la chaleur du fer à repasser calmait ses douleurs.

– Et vous, vous êtes aussi l'aînée, comme votre mère et la sœur de votre grand-mère. Dans votre famille, ce sont les filles aînées qui souffrent de leurs règles et cette souffrance se transmet d'une génération à l'autre. »

Lorsqu'on étudie les « arbres gynécologiques », on trouve des schémas de répétitions semblables à celui-ci, qui font que des femmes héritent des mêmes problématiques que celles qui occupent la même place dans les générations antérieures. Cette répétition ne s'exprime pas obligatoirement avec les mêmes symptômes ni la même intensité. Elle signale que chaque femme en est affectée à sa manière et qu'il s'agit d'une pathologie de lignée.

Dans le cas de Josiane, la grand-tante, la mère et la fille souffrent de la même chose, mais elles y réagissent et y font face à leur manière, avec les mœurs et les outils de leur époque. Pour sa grand-tante, c'était le fer à repasser ; pour sa mère, il fallait ne pas s'écouter ; pour elle, c'était la bouillotte et l'affectivité de sa mère qui la calmait.

La vie des femmes peut ainsi être scandée par des douleurs qui prennent régulièrement et répétitivement la direction de leur vie, et elles sont nombreuses à s'en plaindre :

« Les jours qui précèdent mes règles, j'ai toujours une déprime et, lorsqu'elles arrivent, je me sens complètement vidée. »

« Mon ventre devient ballonné : je me sens lourde et oppressée. »

« Je voudrais vivre mon état de femme sereinement, sans avoir mal au ventre. Mes règles sont un enfer, surtout quand elles arrivent pendant la nuit. Dans la journée, si je m'active ou si je travaille, ça va à peu près, mais le soir, ça reprend. C'est toujours le même cauchemar : les jours qui précèdent, j'ai une baisse de moral, une chute totale du désir. »

« J'en ai marre d'avoir mal au "bide" tous les mois, ça réveille mes vieux démons. »

Quand les femmes me signalent des règles douloureuses, des saignements trop abondants ou un syndrome prémenstruel, je leur propose que nous fassions ensemble un état des lieux des problèmes féminins dans leur généalogie. Il n'est pas normal qu'un processus naturel soit douloureux. Avoir ses règles n'est pas un phénomène accidentel ou inattendu, saigner n'est pas une blessure. C'est tout à la fois le témoignage de la féminité et celui de l'absence de fécondation.

Chez la jeune fille, l'arrivée des règles pour la première fois est une mutation, un saut qui lui fait quitter le monde de l'enfance pour la propulser dans la découverte et la construction de son avenir de femme.

Chez certaines femmes, les règles douloureuses ou trop abondantes surviennent tous les mois comme une tempête, un raz de marée, un cyclone, une inondation, une emprise. Une intrusion interfère dans leur petit bassin, les accapare, elles en sont tributaires. D'autres femmes ont, à la place des douleurs de ventre, de terribles migraines.

Ces douleurs leur tombent dessus, les handicapent plusieurs jours par mois, leur prennent beaucoup d'énergie, rendent leur vie fatigante pour elles-mêmes et leur entourage. Dans ma génération, l'explication la plus courante qu'en donnaient les mères était : « C'est normal d'avoir mal, ça passera quand tu auras un enfant. » Ce qui est loin d'être vrai. À leur époque, l'instruction de ce qu'étaient les règles n'existait pas. Rares étaient celles qui prévenaient leur fille de l'arrivée de l'événement. On l'a vu avec la mère de Nathalie qui, n'en sachant rien, a cru qu'elle était en train de mourir.

Voilà quelques-uns des propos tenus par les mères de mes clientes à l'arrivée de leurs règles :

« Mais ce n'est rien du tout ma chérie ! »

« Tu es grande, tu deviens une femme et tu seras toujours malade. C'est normal. »

« Fais attention maintenant, tous les hommes sont des salauds ! »

En se mettant à pleurer : « Ma pauvre petite fille. »

« Mais qu'ai-je fait pour avoir une fille qui souffre tant ? »

« Mon Dieu, mais vas-tu t'arrêter de grandir ! »

« Ben, qu'est-ce qu'elle t'a dit la maîtresse ? »

« Tiens, tu feras tremper tes serviettes dans le bidet. »

« Désormais tu es une femme : fais attention ! »

« C'est la fin de ta liberté. Tu n'auras plus le droit de sortir. »

« Déjà ! Toi, encore si petite... »

Avec de telles paroles, comment ces jeunes filles pouvaient-elles considérer l'arrivée de leurs règles comme un avènement positif dans leur nouvelle vie de femme ?

Quelques-unes, plus nanties, étaient fêtées, mais elles peuvent se compter sur les doigts de la main. « Nous étions cinq dans la famille, pour les filles, quand nous avions nos règles, nous avions droit à un cadeau de notre choix, que nous allions acheter avec les parents. J'ai choisi une large ceinture avec un beau médaillon. » Dans un monde où nous avons perdu l'usage des rituels de passage pour célébrer l'avènement, voilà comment propulser sa fille dans un avenir adulte.

Il est important que les jeunes filles soient prévenues de l'arrivée de leurs règles, qu'elles sachent non seulement ce qui va leur arriver physiquement, mais aussi ce que représente et implique cette nouvelle situation. Physiquement, elles vont saigner tous les mois par leur sexe, le sang vient de l'utérus et s'écoule par le vagin. Il n'y a pas à en être gênée ou honteuse : c'est le fonctionnement physiologique du corps de la femme pendant sa période de fécondité quand elle n'est pas enceinte. Ce n'est pas du « vieux sang », sale et dégoûtant ; c'est une muqueuse gorgée de sang précieux, puisque c'est lui qui nourrit la vie de l'œuf fécondé avant que le placenta soit organisé et qui s'expulse lorsqu'il n'y a pas eu de fécondation. Il faut bien sûr être préparée à cette émission de sang.

De nos jours, il y a effectivement tout ce qu'il faut pour se « protéger », ce dont les médias nous informent largement. L'essentiel pour cette jeune fille n'étant toutefois pas de faire face aux saignements, mais de réaliser qu'elle passe dans un nouveau fonctionnement.

À l'arrivée des règles, les jeunes filles devraient être honorées et accompagnées sobrement par leur mère. Ces dernières devraient « marquer le coup » et leur souhaiter une vie de femme heureuse. Il n'y a ni à cacher l'événement, ni à ameuter la terre entière, mais c'est l'occasion de raconter comment cela s'est passé pour elle-même et les autres femmes de la famille. Les mères devraient cesser d'ignorer que leurs filles ont besoin de savoir ce qu'a été la vie sexuelle des femmes qui les ont précédées. L'arrivée des règles offre ainsi l'occasion à la mère de raconter à sa fille sa propre vie de femme. Or, lorsqu'elles ont elles-mêmes été traumatisées par l'arrivée de leurs règles, les mères ne savent pas dire simplement à leurs filles qu'elles grandissent et qu'elles auront à les quitter pour devenir des femmes. Ce n'est pas qu'elles veuillent brimer la sexualité de leur fille, c'est qu'elles ne savent pas parler simplement de leur propre sexualité, car la sexualité n'a pas été simple pour elles. Elles ne savent donc pas dire à leurs filles qu'elles sont elles-mêmes des femmes. Et lorsqu'elles ont été malheureuses dans leur vie de femme ou de mère, elles n'ont même pas l'idée de lui souhaiter d'y arriver mieux qu'elles. C'est pourtant la seule façon de permettre à la fille de gagner du temps et d'oser dépasser les difficultés de sa mère.

Sans la moindre parole maternelle, les filles se retrouvent automatiquement prises dans les filets ancestraux d'écueils insaisissables qui les dépassent et les immobilisent. Il est très difficile pour une fille d'arriver à faire mieux que sa mère si celle-ci ne lui en donne pas l'autorisation. Il faut toutefois que cette autorisation soit réelle, ressentie, que ce soit une parole qui raconte, une parole du cœur, une parole affective dans laquelle la mère dise sa vérité. Car si cette parole est vraie, elle renforce la sécurité de base de la fille. À l'image des fondations d'une maison qui permettent d'élever sa structure, ces informations participent à la consolidation des fondations de la fille. Elles s'intègrent en elle et consolident son socle de future femme. Elles s'impriment dans les cellules de son corps et de son sexe, et la fille, ainsi au courant de son histoire singulière, peut aborder sa vie future.

Lorsque les mères se comportent ainsi, cela a un autre avantage : leur permettre d'intégrer que leur fille a grandi et qu'elles ne peuvent plus la considérer comme leur petite fille. Les mères ont aussi besoin de se séparer de leur fille, de pouvoir s'en détacher. Être heureuse qu'elle aille bien et grandisse est une chose, c'est le plaisir d'avoir accompli sa mission, sa fonction de mère ; se détacher d'elle et lui faire confiance, en sachant qu'elle n'a plus besoin d'assistance, est une autre chose.

C'est cependant aussi la mission du statut maternel. Les mères ne doivent pas s'accrocher à leurs enfants. Cet accrochage ralentit leur croissance. Si elles sont malheureuses ou se sentent lâchées, les filles, pour les soutenir, restent fixées à leur mère et ne peuvent plus s'occuper de leur vie à elles. Les mères doivent apprendre à ne pas avoir besoin de leurs enfants pour vivre, elles doivent inventer autre chose pour se dynamiser. C'est une véritable conversion, ce n'est pas toujours aisé dans la mesure où la fonction maternelle étant d'assister, nourrir et soutenir l'enfant tant qu'il n'est pas capable de le faire seul, elles ont voué toute une tranche de leur vie à cette tâche nécessaire, sans avoir suffisamment prévu que cette période était transitoire et ne durerait pas toute la vie.

Il existe aussi des mères qui n'ont pas pu trouver la disponibilité totale qu'implique la fonction maternelle. Ayant elles-mêmes man-qué, soit de modèle, soit de forces maternelles, elles n'ont pas pu contenir et soutenir leur enfant dans ses nécessités. Trop agitées ou trop fragiles, ces « mères-enfants » ou ces « mères-absentes » se sont retrouvées phobiques de la fonction maternelle. Elles se sont lancées frénétiquement dans une autre activité et n'ont pas été présentes. Elles ont lâché trop tôt leurs filles, qui, perdues, ont été obligées de faire face à ce manque de soutien, en inventant des systèmes de survie pour ne pas s'écrouler.

Ayant manqué de sécurité de base, ces jeunes filles risqueront plus tard de manquer d'atten-tion à l'autre, puisque elles-mêmes n'ont pas été considérées comme elles en auraient eu besoin. Elles évoluent ainsi, sans arriver à savoir si elles existent vraiment. Ces jeunes femmes demande-ront alors beaucoup à leurs hommes tout en les négligeant, comme s'il s'agissait pour elles de rattraper un manque.

Les pathologies « fantômes »

Si les jeunes femmes d'aujourd'hui n'ont plus honte d'avoir leurs règles, ce qui est un réel acquis de notre génération, cela n'explique pas qu'un très grand nombre de femmes continuent d'avoir des règles douloureuses. Dans ce cas, à l'interrogatoire médical, on trouve toujours des pathologies gynécologiques qui ont atteint l'intégrité des femmes dans les générations antérieures. Ou bien ce sont leur mère ou leurs tantes qui ont souffert de règles douloureuses, ou bien ce sont leurs grand-mères et leurs arrière-grand-mères qui ont été accablées de drames épouvantables : soit elles ont eu une hystérectomie, soit une ablation de l'utérus et des ovaires, soit elles sont mortes de grossesse extra-utérine, de cancer du sein ou de l'utérus, ou encore n'ont pas survécu à la naissance de leur dernier enfant, soit elles ont eu des enfants morts, ont fait des fausses couches à répétition, ont perdu très jeunes leur mère, leurs frères ou sœurs d'épidémie ou leur père à la guerre, soit encore elles étaient orphelines, enfants illégitimes ou adoptées, sans connaître la vérité de leur propre histoire.

À l'époque de leurs mères et de leurs grand-mères, on taisait ces événements sans penser que cela pût avoir des conséquences. On ne parlait pas des drames qu'on voulait oublier, comme si le fait de les taire pouvait les faire disparaître.

On croyait qu'il ne fallait rien en dire pour ne pas faire de peine aux enfants ou à d'autres personnes.

Ce n'est pas parce qu'on occulte ce genre d'événements qu'ils s'effacent. Les plaies que créent ces drames de la vie et de la mort, donc de la sexualité, restent ouvertes dans l'inconscient et ne peuvent cicatriser.

Le deuil de ces malheurs ne peut se faire puisqu'on ne peut s'en faire une juste représentation. Comme ces traumatismes n'ont pas pu être acceptés, digérés, ils se transmettent dans la succession en y produisant des « pathologies fantômes ». Les secrets et les non-dits enkystent la pensée et l'empêchent de se donner une vision claire de la vie. Il se crée alors en nous une crypte[1] dans laquelle ces traumatismes sont toujours actifs et ont besoin de s'exprimer d'une façon ou d'une autre.

Le syndrome prémenstruel

Ces forces occultes que nous portons en nous et qui s'expriment par des troubles rythmés par les règles ont été appelées par la médecine

---

1. Les notions de crypte et de fantôme ont été élaborées au début des années 1970 par les psychanalystes Nicolas Abraham et Maria Torok. Voir *L'Écorce et le Noyau*, Paris, Flammarion, coll. « Champs », 1999.

« syndrome prémenstruel ». Pour les unes, ce sera de la mauvaise humeur, de la vulnérabilité, de l'insatisfaction, de la tristesse ou une violence qui fait qu'elles en veulent à la terre entière ; pour les autres, ce sera de l'apathie, de l'inertie, de l'épuisement ou des dépressions, sans compter les douleurs des seins, le ballonnement du ventre, le gonflement des chevilles et des jambes, les nausées et vomissements, ou encore de terribles migraines.

C'est en réponse à mes questions que mes patientes découvrent le poids que représente l'héritage des femmes de leur famille. Je leur demande alors de mener une enquête, afin de connaître les faits marquants de la vie sexuelle de leurs ancêtres, d'interroger leur mère, tantes et grand-mères pour savoir comment elles ont vécu leur vie de femme et de mère, d'être attentives aux dates de naissance, de mariage, de séparation, de maladie et de mort afin de voir si certaines se répètent.

C'est ainsi qu'elles comprennent que leurs douleurs sont le témoignage des souffrances antérieures des femmes de leur famille, que leur utérus essaie d'expulser. Les douleurs des règles se présentent souvent comme des contractions. Et si le bas-ventre se tord ainsi de douleur, c'est qu'il rencontre un obstacle, un nœud, quelque chose qui le gêne, l'embarrasse et qu'il tente d'expulser de cette façon. Il en est de même lorsque les saignements sont trop abondants[1], autre façon qu'a le corps d'essayer de se dégager de quelque chose qui l'encombre en l'éliminant. Toutefois, dans ces cas, il n'y a rien à éliminer physiquement. L'examen de ces femmes est normal, puisque les obstacles que rencontre l'écoulement des règles ne se situent pas dans la dimension physique du corps. Ces blocages sont à chercher dans ce qu'on appelle le corps énergétique, émotionnel et mental, qui signale des traumatismes encore « à vif ». C'est dans le psychisme et l'émotionnel, et non pas dans le corps physique, que se niche l'origine de ces troubles qui se transmettent de mère en fille. C'est donc par la parole avec sa mère ou avec un thérapeute qu'on arrive à leur donner un sens et qu'on les résout.

Il est important d'expliquer aux jeunes filles qu'elles ont été configurées comme leurs mères et comme les femmes de leur famille. Souvent, j'ai constaté que cette information suffisait à dissoudre leurs douleurs. Comprendre que nos troubles ne nous appartiennent pas en propre, mais proviennent d'une histoire passée, permet de prendre son corps en main et d'y remettre de l'ordre. Les plus jeunes ajoutent avec humour : « Mais alors, ces gros seins et ces grosses cuisses ne sont pas non plus les miens ! » Dans ce cas,

---

1. Voir Marie Cardinal, *Les Mots pour le dire*, Paris, Grasset, 1976.

un travail énergétique les aide à récupérer leurs formes et un fonctionnement corporel normal.

Si les douleurs de règles ou leur trop grande abondance inaugurent l'héritage pathologique des femmes de la famille, plus tard dans notre vie de femme les maladies gynécologiques en seront le témoignage.

Les maladies gynécologiques
et leurs origines

Françoise me consulte parce qu'elle a un fibrome pour lequel la chirurgie est préconisée. Son utérus a augmenté de volume, ses règles sont abondantes et la fatiguent. Elle aimerait essayer un traitement énergétique plutôt que de se faire d'emblée enlever l'utérus. Elle a quarante-trois ans. L'interrogatoire généalogique m'apprend que sa sœur aînée a subi une hystérectomie à quarante-quatre ans, que sa tante, la sœur aînée de sa mère, en a subi une à quarante-quatre ans, et de même pour sa mère à quarante-trois ans. Françoise est la deuxième fille de trois enfants. Elle a trois ans de différence avec sa sœur aînée et est suivie d'un garçon de deux ans plus jeune. À la génération qui la précède, celle de sa mère, elles sont deux filles, elles aussi espacées de trois ans. Sa mère est la seconde et est suivie, à deux ans d'intervalle, d'une fausse couche hémorragique. Poursuivant ce travail avec moi, Françoise apprend qu'à la troisième génération sa grand-mère maternelle est morte en couches à quarante-trois ans, en mettant au monde un garçon qui ne lui a pas survécu.

Dans sa lignée paternelle, son père, Bertrand, est le dixième de douze enfants. Il porte le prénom du neuvième enfant décédé avant sa naissance et est suivi d'un onzième enfant qui, lui aussi, est mort en bas âge. Encadré de deux frères disparus, ce père porte en lui la mort depuis sa naissance.

Ces informations et les répétitions qu'elles dévoilent sont, dans ce cas, si évidentes qu'elles font révélation. Françoise savait qu'elle suivait le même sort que sa mère et sa sœur, mais elle n'avait pas fait le lien avec la mort en couches de sa grand-mère maternelle au même âge qu'elle, dont on ne lui avait jamais parlé. Elle savait que sa grand-mère était morte alors que sa mère était encore petite, mais les circonstances exactes de cette mort avaient toujours été éludées. Françoise ignorait donc que sa grand-mère était morte en mettant au monde un garçon qui lui aussi était mort. Elle n'avait jamais pu en parler à sa mère, car à la moindre question celle-ci sombrait dans un profond chagrin et se mettait à pleurer : il fallait taire l'événement, ne jamais aborder cette partie de l'histoire. Françoise avait spontanément, comme tout enfant le fait, soutenu et assisté cette mère déprimée sans savoir que sa dépression venait de ce qu'elle n'avait jamais accepté la mort de la sienne et de son petit frère : elle n'en n'avait jamais fait le deuil.

Lorsque des drames sont ainsi tenus secrets, ils prennent dans l'esprit des descendants l'aspect d'un « fantôme » au sens psychanalytique du terme, c'est-à-dire un « trou opaque et vide » qui se substitue aux représentations de la mort de la grand-mère et du petit frère. Le fil de la succession des générations est parasité par cet enkystement, ce « fantôme » qui, se transmettant inconsciemment de mère en fille, se présente comme une pathologie de lignée. Le traumatisme a provoqué un « arrêt sur image » où se bloque la dimension cyclique du temps puisque le fibrome de Françoise réactualise un événement qui s'est produit au même âge deux générations plus tôt.

La répétition est un phénomène pour l'apprentissage et l'intégration des événements de la vie. Elle fait partie du psychisme humain. Nous avons tous été structurés par le tissage des énergies de l'histoire de nos deux lignées et nous transmettons à nos enfants un état d'être qui leur donne les fondations de leur propre structure. C'est ainsi que la vie se répète, et comme ces répétitions surviennent à des âges ou à des dates semblables, Anne Ancelin Schützenberger a conceptualisé ce phénomène en le nommant syndrome d'anniversaire[1].

Les répétitions ne sont pas toujours aussi démonstratives que dans le cas de Françoise. Il est néanmoins troublant de découvrir que des similitudes de dates de naissance, de mort, d'accident ou de maladies se reproduisent dans les événements marquants de la vie.

Les symptômes engendrés par les pathologies de lignée

À ce niveau, les troubles gynécologiques de la femme, qu'ils soient fonctionnels ou organiques[2], traduisent toujours des encombrements qui proviennent de leurs lignées de femmes. Les symptômes gynécologiques se signalent alors principalement de deux façons. Soit ce sont des troubles rythmés par leur cycle : lourdeurs, douleurs ou ballonnements du ventre, des seins ou des jambes, irrégularités du cycle, saignements de l'utérus, fatigues générales, changements

---

1. Anne Ancelin Schützenberger, *Aïe, mes aïeux !*, 17ᵉ éd., Paris, Desclée de Brouwer, 2003.

2. Les *troubles fonctionnels* sont un déséquilibre qui n'est pas inscrit dans le corps physique. L'examen des organes atteints est alors normal, mais les troubles les atteignent dans leur fonction. Dans les *troubles organiques*, les organes sont atteints et l'on note la présence d'un kyste, d'un fibrome ou d'un cancer.

d'humeur, irritabilité, vulnérabilité et insatisfaction ; soit ce sont des maux qui se sont installés : une prise de poids qui prédomine au niveau des seins, du ventre et des cuisses, des extrémités froides, pieds, mains et fesses gelés, des maladies à type de tumeurs bénignes, polypes, fibromes, kystes, ou malignes, les cancers.

Quels que soient les symptômes, que nous ayons incorporé les forces énergétiques de notre histoire familiale ou que nous tentions de les fuir, celles-ci sont forcément présentes en nous et si nous n'en prenons pas conscience, nous restons inconsciemment reliées à elles.

La plupart des troubles fonctionnels ont grandement diminué avec l'apparition de la pilule puisque celle-ci met les ovaires au repos. Comme les hormones de la pilule remplacent celles que les ovaires devraient sécréter, la synergie entre l'hypophyse et les ovaires est coupée. Les ovaires ne sont donc plus soumis à l'influence des désarrois psychiques et émotionnels. Ils sont momentanément mis de côté. La pilule coupant le fil de la procréation, donc de la succession des générations, l'état de santé des femmes est de ce fait moins fluctuant. La pilule permet aux femmes de récupérer leur dynamique personnelle sans qu'elles soient encombrées de l'héritage des générations qui les précèdent.

Toutefois, l'intolérance au traitement hormonal n'est pas exceptionnelle. Dans ce cas, le surplus hormonal constitué par la pilule ne fait qu'accentuer leurs troubles. Elles ont alors l'impression d'étouffer, comme si elles implosaient, sans pouvoir trouver de voie d'émergence, sans le savoir enfermées et prisonnières dans l'histoire de leurs lignées.

La stérilité et l'infécondité

Les problèmes d'infécondité où la femme est enceinte, fait des fausses couches à répétition sans pouvoir mener une grossesse à terme, la stérilité du couple qui n'arrive pas à avoir un enfant alors que rien ne l'empêche médicalement, ou encore les grossesses involontaires où la femme est enceinte sans l'avoir prévu, témoignent de l'impact direct du phénomène transgénérationnel : l'origine est ancestrale.

Pour les cas de stérilité, lorsque les examens sont normaux mais que l'enfant n'arrive pas, il y a bien un blocage, mais celui-ci n'est pas physique : la femme ovule, l'homme a des spermatozoïdes fécondants, le passage est libre dans les trompes et l'utérus, mais alors que rien ne fait obstacle physiquement à la fécondation, force est de constater que quelque chose d'autre l'empêche. Le désir des deux protagonistes est sans aucun doute là, si ce n'est que quelque chose les entrave, les empêche de muter du statut de fille et de fils à celui de père et de mère, les empêche de se prolonger. Ces couples ont à faire un travail personnel, souvent très fructueux, afin de se déloger de la place d'enfant dans laquelle ils ont été contraints de rester enfermés. Généralement, ils ne savent pas que ce qui fait barrage à leur projet de devenir parent provient de leurs histoires familiales respectives.

Les grossesses indésirées

Dans les grossesses indésirées, c'est comme si le corps de la femme était directement connecté à la façon dont la mère avait fait ses enfants. La femme « tombe » enceinte à l'âge où sa mère l'a été pour elle ou l'a été pour ses frères et sœurs, ou bien quand elle a rencontré un amant, ou s'est séparée du père de ses enfants, bref, en tout état de cause, à la date anniversaire d'un fait marquant de sa vie de femme. Être enceinte exprime alors une répétition généalogique et l'interruption de grossesse va tenter de l'en dégager pour pouvoir naître à elle-même.

Les grossesses indésirées ne sont jamais anodines, mais elles ne correspondent pas toujours, comme il l'est généralement interprété, à un vrai désir d'enfant. Il est important de pouvoir y mettre du sens. Bien que le désir de maternité ne soit pas remis en cause dans l'avenir, cette grossesse ne correspond pas à un désir d'enfant dans le partage avec un homme. La femme est entre elle et son histoire, et l'homme aussi. Ils découvrent qu'ils ne sont pas stériles, mais ils n'ont pas fait un enfant ensemble.

Soit la femme en a l'intuition, elle n'est pas triste, elle ne ressent pas le désir de cet enfant : elle est alors confrontée au fait d'avoir dû en passer par son corps pour grandir, elle n'a pas su être conséquente avec sa contraception. Soit elle est triste et malheureuse et il est important qu'elle comprenne que sa douleur ne correspond pas à l'enfant qui ne va pas arriver mais à l'émotion de se séparer de son histoire maternelle. Dans ces cas, la recherche généalogique est la même que pour les règles douloureuses. Il s'agit là encore d'explorer l'héritage des femmes qui nous précèdent, en axant les recherches sur les maladies, les deuils, la façon dont elles ont fait leurs enfants, ainsi que les éventuelles répétitions de dates.

C'est ce que Didier Dumas a conceptualisé sous le terme d'impensé maternel[1], qui ne désigne pas tant la façon dont notre mère nous a encombrée que celle dont elle-même a été somatiquement encombrée par un héritage ancestral traumatique.

---

1. Didier Dumas, *L'Ange et le Fantôme. Introduction à la clinique de l'impensé généalogique*, Paris, Minuit, 1985.

L'importance de connaître sa généalogie

Toutes les traditions considèrent que nous héritons de nos ancêtres, qu'ils nous transmettent aussi bien leurs forces que leurs faiblesses, et que ces dernières peuvent se manifester en nous sous la forme de maladies physiques ou psychiques. Ces maladies dont l'origine est ancestrale, ces « maladies de lignée » peuvent nous « posséder », devenir récidivantes ou chroniques. Pour s'en défaire, il me semble indispensable de connaître son histoire transgénérationnelle, puisqu'elle forme le terrain sur lequel les maladies se déclarent.

Considérer l'aspect transgénérationnel de notre existence permet de nous situer à nouveau dans la dimension universelle de la vie. Nos enfants nous prolongent, tout en nous mettant à une place d'ancêtre futur, de parent, de grand-parent, puis d'arrière-grand-parent. La mort étant indissociable de la vie, notre place de naissance dans la succession des générations nous fait hériter de nos ancêtres, et nous transmettons à nos enfants et petits-enfants. En vivant, nous véhiculons donc automatiquement du savoir et des traditions, comme le reconnaissent les peuples qui vouent un culte à leurs ancêtres. Chez nous, le rapport aux ancêtres peut prendre une forme consciente ou inconsciente, et c'est celle-ci qui s'exprime dans les symptômes.

La vie est un processus continu et cyclique dont la mort fait partie. Les adultes mettent leurs enfants au monde et accompagnent leurs parents jusqu'à leur mort. La mort, qui constitue le vide créé par la perte de la personne aimée[1], perd alors son caractère de drame personnel. Il devient normal que les « vieux » nous quittent : ils ont accompli leur vie à leur manière. Il est important de les respecter, de les accompagner et de leur dire au revoir, autant pour les soutenir que pour intégrer leur départ.

Bien entendu, cela n'empêche pas la tristesse et le chagrin de ne plus pouvoir côtoyer la personne aimée, mais au lieu d'en être capturé et pétrifié de douleur, on peut replacer cette mort dans un contexte plus large, ce qui permet de considérer l'événement autrement.

Quand il s'agit d'une personne plus jeune qui meurt prématurément d'accident ou de maladie, le caractère normal et naturel du passage inéluctable de la vie à la mort fait défaut. Toutefois, cette mort prématurée n'est pas obligatoirement le fruit d'un pur hasard. C'est ce dont témoigne la psychanalyse transgénérationnelle. Certaines fois, elle peut s'expliquer par un processus de répétitions de dates, d'âges, de lieux géographiques, de drames cachés ou ignorés. Les différentes morts au même âge que l'ancêtre dans

---

1. Voir Aude Zeller, *À l'épreuve de la vieillesse*, Paris, Desclée de Brouwer, 2003.

sa fratrie, la mort en couches des mères, la mort néonatale des nourrissons, le suicide, les cancers ou toutes autres maladies, les morts à la guerre, les génocides.

Notre civilisation a perdu le sens de l'importance de la mémoire des ancêtres. Alors que nous n'avons plus de croyances, de rituels, ni de mythes référés à la mémoire ancestrale, faire son arbre généalogique, c'est reconnaître la façon dont nos ancêtres ont vécu. Le découvrir tout en sachant ce que nous voulons savoir, c'est reconnaître la place qui nous a été attribuée. Ce n'est pas une simple curiosité, mais une prise de contact avec les personnes qui nous ont précédées et grâce auxquelles nous sommes vivants. Comment ces personnes ont-elles vécu ? Ont-elles apprécié leur vie ou bien sont-elles restées dans leurs enfermements ? Ont-elles été déprimées, des violents, des enfants malheureux, des affairistes, des aventuriers, des créateurs, ou ont-elles répété leur histoire familiale ? Au fur et à mesure que l'on construit son arbre, émergent les origines de nos répétitions, de nos freins, de nos échecs, de nos peurs et de nos maladies, mais aussi de nos talents, de nos capacités et de nos compétences.

Les effets du génosociogramme

Faire son génosociogramme permet de se connecter à l'énergie de ses ancêtres. C'est un outil qui opère une remise en ordre : on se réapproprie son histoire personnelle. Il agrandit notre histoire dans la mesure où nos parents et notre famille nous l'ont présentée « à leur façon », dans leur vérité, et que nous entreprenons de nous la représenter nous-même, à notre façon. Replacer nos ancêtres dans leur contexte de vie nous permet de les comprendre, de constater qu'ils ont eu aussi une histoire et de dissoudre les rancœurs ou les idéalisations.

Il ne s'agit pas de se séparer d'eux, mais de percevoir comment on les prolonge. En les acceptant tels qu'ils sont, on va pouvoir prendre notre place. En ce sens, le génosociogramme est une recherche qui permet d'accepter son histoire et de se dégager des non-dits, des omissions ou des mensonges de la légende familiale.

Faire son arbre consiste à honorer ses ancêtres en les faisant exister à nouveau. Cela commence par une quête d'informations auprès des parents et grands-parents, de leurs proches, mais aussi dans les registres des administrations. Cette quête est l'occasion de faire connaissance avec ceux que l'on n'a pas connus, de découvrir les conditions dans lesquelles ils ont été conçus, le milieu dans lequel ils ont évolué, comment ils ont mené leur vie d'homme, de femme, de père, de mère, de frère ou de sœur, et quelles ont été leurs amours licites et illicites. Quelle que soit leur histoire, nous nous donnons une représentation de ces ancêtres, et par là même des forces énergétiques qui les ont constitués et qu'ils ont véhiculées. En les faisant revivre, nous libérons ces forces bloquées dans du secret et de l'ignorance. En redonnant du sens à leur histoire, nous rétablissons du lien, de la communication et de la souplesse.

Un courant passe à nouveau qui éclaire notre propre structure. Voilà en quoi la réalisation d'un génosociogramme nous libère des liens inconscients qui nous ligotaient et nous donne la force de nous propulser pour nous construire et aller de l'avant. Devenir soi-même, ce n'est pas trahir ses ancêtres, ni les abandonner. Au contraire, c'est leur témoigner que ce qu'ils nous ont transmis nous permet de devenir ce que nous sommes : ils peuvent reposer en paix, être contents et satisfaits d'eux-mêmes.

La vie nous pousse à avancer et nous n'avons pas à attendre que ce soit des membres de notre famille qui nous propulsent. S'ils en avaient été capables ou s'ils avaient su le faire, ils l'auraient déjà fait. En établissant notre arbre généalogique, il ne s'agit donc pas de savoir si nous aimons nos ancêtres ou si nous leur en voulons, mais de reconnaître ce qu'ils ont été. Nos ancêtres sont nos fondations, notre socle. Nous les retrouvons pour leur dire au revoir, ils n'ont plus à occuper notre attention. Avec l'énergie que nous récupérons ainsi, nous agrandissons et consolidons notre socle et cela nous permet et nous force à avancer, à être créateur de notre propre vie. Ainsi nous les prolongeons sans en être dépendants. C'est cela qui fait du génosociogramme non seulement un acte de séparation, mais aussi de « prolongation ».

Sans ce travail de repérage de sa place généalogique, les femmes et les hommes ont une telle capacité à adopter ou à protéger la « légende familiale officielle » qu'ils perpétuent sans s'en rendre compte les souffrances, les maladies, le mensonge, le déni et les échecs que véhiculent les maladies de lignée. Que se passe-t-il en effet lorsqu'on se comporte ainsi ? Comme c'est alors le mensonge qui nous constitue, la transmission se brouille, la vérité se perd, et nous nous retrouvons séparés des liens d'ancrage à nos ancêtres. Si nous ne pouvons pas connaître la vérité de notre histoire, nous flottons sans trouver d'appui, car nous manquons de socle et de soutien pour nous construire. Or cette vérité qui nous concerne mais que nous ignorons continue de se manifester et d'agir, en quelque sorte, pour son propre compte. Ce qui se traduit, dans sa vie, par des phénomènes d'histoires répétitives à travers lesquels ce passé essaie de se faire entendre.

Ces phénomènes de répétitions sont dus au fait d'agir, non pas en accord avec sa propre pensée et ses désirs personnels, mais en étant inconsciemment agis par ces structures énergétiques appelées « fantômes » qui transforment l'individu en « Dr Jekyll et Mr. Hide ».

Il en est ainsi, car nous nous construisons en dupliquant les caractéristiques familiales et collectives de nos parents. Mais comme cette assimilation est inconsciente, si nous n'y prenons garde, elle peut prendre la direction de notre vie.

C'est cette transmission ancestrale qui constitue notre mémoire cellulaire. Le processus de duplication est un phénomène physiologique qui permet à cet héritage de se transmettre de génération en génération, il est donc illusoire de vouloir lui échapper. Si nous essayons de fuir notre héritage, nous n'arrivons qu'à le renforcer et lui donner plus d'énergie. Pour se sortir de ces répétitions, nous devons commencer par les reconnaître, les accepter et ne plus en être heurtés. Que l'on ait eu à se construire avec cet héritage, c'est une réalité, mais l'important est de ne plus s'y attarder, ne plus s'y complaire, afin d'ajouter sa « touche personnelle », de pouvoir construire sa propre personnalité.

Si nous en avons vraiment « l'intention », prendre conscience de nos mimétismes d'identification est le premier constat qui va permettre le changement et la transformation. Mathilde, par exemple, à qui j'avais conseillé de faire son génosociogramme, en a pris conscience en faisant le rêve suivant : « C'était au cours du banquet d'une fête de famille. Je me retrouvais avec des ancêtres paternels et maternels qui m'étaient presque tous inconnus. L'ambiance des retrouvailles est chaleureuse et me donne beaucoup de joie et de force intérieure qui m'étonnent. Mais au fur et à mesure que le temps passe, je commence à me sentir oppressée, fébrile, isolée et étouffée. Je réalise alors avec surprise que je suis reliée à mes ancêtres par des chaînes et, à ma grande stupeur, je découvre que c'est moi qui tiens les chaînes. »

Bien que, dans les maladies gynécologiques, les transmissions maternelles soient les premières à être explorées, nous devons comprendre en quoi notre héritage implique nos deux lignées. Notre grand-mère paternelle influence aussi notre féminité et ce que nous sommes. Comme l'a expliqué Didier Dumas dans *L'Ange et le Fantôme*, c'est la similitude ou la complémentarité des fantômes dont est porteur chacun des parents qui se transmet d'une génération à l'autre. C'est pourquoi il est important, pour les femmes, de ne pas éluder l'exploration de leur lignée paternelle. Ne dit-on pas : « Ils se sont rencontrés pour le meilleur et pour le pire » ? Dans le cas du fibrome dont souffrait Françoise, le fait que son père soit entouré de deux frères morts est ce qui lui a permis de comprendre qu'il ne pouvait pas aider sa femme et ses filles à se dégager de la mort de la grand-mère et du petit frère.

Le soin

Dans ce genre de pathologies, le travail de restauration est, à mon sens, double, dans la mesure où il porte sur deux parties différentes de nous-même : sur notre axe vertical, où il s'agit remettre de l'ordre dans la connaissance de ses ancêtres ; et sur notre axe horizontal, où c'est le travail énergétique qui agit sur le corps.

Le fait de retrouver que sa grand-mère était morte à quarante-trois ans a permis à Françoise de donner du sens à son fibrome et aux hysté-rectomies des femmes de sa famille. Connaître les circonstances de la mort de sa grand-mère lui a fait comprendre que cette grand-mère avait elle-même sa propre histoire, qu'elle était, elle aussi, porteuse d'un fantôme qui venait de plus haut dans les générations précédentes, et c'est celui-là qui l'avait fait mourir. Ce genre de découverte recrée du lien dans la succession des générations.

Au niveau de son traitement énergétique, il s'agissait de redonner vie à son utérus, qui s'était figé et avait perdu son élasticité, puisqu'il avait été déserté de ses énergies nourrissantes au profit de l'énergie du « fantôme de la grand-mère ». L'utérus avait augmenté de volume et saignait, car il était le siège d'une hyperactivité patholo-gique d'autant plus sournoise et souterraine qu'elle ne provoquait aucune sensation particu-lière. Alors que cet organe aurait dû être au repos, n'étant pas sollicité par une nidation, il était animé et avait grossi, témoignant de cette façon d'un surplus d'énergie inappropriée.

La médecine chinoise considère que, dans ce cas, l'utérus est le siège d'une perturbation, une « énergie perverse[1] » qui l'active à son insu. Le traitement consiste alors en un apport d'énergies nouvelles centrées sur le petit bassin, l'utérus, les ovaires et leurs liaisons au reste du corps. C'est en demandant à Françoise de fixer son attention sur son utérus et de le ressentir traversé par des flux que je lui ai appris à investir son petit bassin. Elle a pu alors l'intégrer comme étant réellement le sien, vivant, et non plus celui de ses grand-mères ou arrière-grand-mères.

Pour être en bonne santé, nous devons nourrir notre être authentique. C'est de découvrir et de respecter ce qui est bon pour nous qui nous sort du cycle de la répétition. Sans ce travail sur soi-même et sur la famille, un grand nombre de femmes restent, sans le savoir, dépendantes de secrets de famille antérieurs à leur naissance : histoires d'amour licites ou illicites, questions d'honneur, drames, maladies ou deuils qui n'ont pas été réglés dans les générations précédentes.

---

1. Ici, « pervers » signifie « voie à l'envers ». En médecine chinoise, on distingue plusieurs qualités d'énergie : les énergies nutritive et défensive qui prennent en charge la vie du corps et des organes, et les énergies perverses qui nous parasitent et créent des maladies.

Si nous manquons de vigilance, si nous ne savons pas prêter attention à l'expression de nos troubles et si nous refusons de regarder en quoi la répétition transgénérationnelle nous structure en bien comme en mal, nous risquons d'en être d'autant plus atteintes.

À vouloir ignorer que la vie est ainsi faite, nous nous exposons, en effet, à être rappelées à l'ordre par le code aussi invisible qu'implacable de la succession des générations, comme cela s'entend par exemple dans le langage courant lorsqu'on dit : « Elle est morte de la maladie de sa mère. » Même si, dans l'état actuel des sciences, nous ne savons pas encore comment ce code se transmet, nous savons par contre que les forces qu'il véhicule sont extrêmement puissantes. Depuis trois générations, alors que la vie des femmes a radicalement changé, l'habitude ancestrale de taire tout ce qui pose problème dans la sexualité et la mort, en le tenant secret, est, elle, toujours active.

« Tu transmettras tes fautes sur trois ou quatre générations » est la traduction de notre dépendance à notre histoire ancestrale, et ce, depuis la nuit des temps.

CHAPITRE VI

Le désir

« Pourquoi ai-je encore aujourd'hui tant de mal avec les hommes, me demande Anne qui a trente-cinq ans : je sais séduire, me faire belle, danser, mais je ne sais pas désirer un homme ni quoi faire avec son désir. Désirée, je rougis, tourne la tête, j'ai envie de fuir, alors qu'au fond de moi je meurs d'envie de lui dire oui. On m'a bien appris le désir de devenir mère et le désir d'exercer un métier qui me plaît, mais on ne m'a pas appris à savoir être une femme qui désire l'homme que j'aime et qui sait accueillir son désir avec bonheur. »

En consultation, jeunes et moins jeunes, qu'elles soient avec ou sans homme, mariées, en concubinage, divorcées ou seules, étudiantes, retraitées ou mères de famille, beaucoup de femmes demandent la même chose : comment soigner leurs difficultés à vivre leur féminité, être satisfaites d'être une femme, savoir être désirées et désirantes.

Contrairement aux apparences de liberté, les femmes continuent d'être dépositaires de transmissions féminines qui les coupent en deux, et cela de deux façons. Une première coupure les prive de toute communication libre avec les hommes. Ce n'est pas qu'elles ne les désirent pas. Leur désir est bien là, mais un écran invisible fait d'interdits, de honte, de culpabilité, d'ignorance et d'absence de confiance en soi les enveloppe d'un brouillard qui les sépare des hommes et les empêche de s'exprimer librement. L'émotion leur fait perdre leurs moyens. Elles ne savent plus ni les écouter ni leur parler. N'osant même pas les regarder, elles restent pétrifiées et muettes, ou bien elles s'agitent subitement en se mettant à parler de tout et de rien, sauf de ce qu'elles voudraient dire, comme si leur désir les affolait.

L'autre coupure dont elles souffrent est de nature énergétique. Il s'agit d'un véritable clivage, une séparation entre le haut et le bas de tout leur être, l'esprit et le corps, les pensées et le cœur, le cœur et le sexe, la pensée et le désir. Ces femmes n'arrivent pas à se sentir entières. Elles n'ont pas pu prendre possession de leur intégrité, ni établir une unité entre leurs pensées dans leur tête, leurs sentiments dans leur cœur et leurs sensations qu'elles ressentent dans leur sexe. Elles n'arrivent donc pas à vivre leur sexualité comme elles le voudraient, et lorsqu'elles sont avec un homme, elles ne réussissent pas à ressentir la jouissance qu'elles en attendent.

Un héritage social et culturel particulièrement lourd

À l'époque de nos grand-mères et arrière-grand-mères, la sexualité de plaisir était tabou : c'était un péché de chair. Cette sexualité existait dans les maisons closes, où elle se monnayait, ou alors elle était vécue par des femmes « faciles », assimilées à des putains. Nos grand-mères étaient à peu près toutes des « oies blanches », innocentes et ignorantes, qui n'avaient jamais été préparées à considérer leur propre sexe et encore moins celui de l'homme. Personne ne les avait informées de leur future vie de femme.

Elles n'avaient donc aucune idée de ce qu'elles allaient vivre le jour de leurs noces, leurs propres mères, grand-mères et tantes ayant entouré cette sexualité d'un mystère de chuchotements qui n'apprenait rien à ces jeunes filles. Elles étaient ainsi contraintes de rester vierges non seulement dans leur corps, mais aussi dans leur tête. La seule chose qu'elles pouvaient se représenter de leur avenir était qu'elles allaient avoir des enfants. Si bien qu'arrivées au mariage, elles avaient toutes les appréhensions du monde et espéraient que le mari les informerait de cette

chose sans nom qu'était la sexualité : elles atten-
daient tout de lui. La plupart du temps, le mari
restait muet, il ne savait pas mettre une parole
sur sa propre sexualité et encore moins sur celle
de sa femme. Ce mutisme prétendait la respecter,
puisque les seuls mots permettant de nommer la
sexualité étaient crus et vulgaires.

Première mutation :
les femmes pensent (1945)

La Première Guerre mondiale décime les
hommes et met les femmes au travail. Elles perdent leur mari, leurs pères et leurs frères, et commencent à entrevoir la possibilité de s'assumer
seules, de gérer les biens, de travailler moyen-
nant salaire pour pouvoir entretenir la maison
et élever les enfants.

Il faut attendre avril 1945 pour que les femmes
acquièrent le droit de vote et soient considérées
comme citoyennes. Elles sont désormais reconnues aptes à avoir un avis, une opinion sur la vie
politique et sociale du pays : elles « pensent ».

Tel est le bouleversement radical, la première
mutation qui donne aux femmes le droit d'exister en dehors de la maternité. Elles se mettent
dès lors ardemment à l'ouvrage de la mixité dans
la vie collective.

Deuxième mutation :
la limitation des naissances (1965)

Vingt ans plus tard, dans les années 1965, explose une nouvelle « bombe » : la pilule contraceptive. Une grande partie des femmes l'accueillent favorablement, heureuses et soulagées de ne plus avoir à faire des enfants sans le vouloir. La possibilité d'être indépendantes s'offre à elles. Ces femmes veulent se libérer des contraintes domestiques pour prendre une place dans la société, ne plus être assimilées à la seule fonction maternelle tout en restant disponibles aux enfants qui naissent. Cette seconde mutation va radicalement changer la vie des hommes et des femmes. La contraception a positionné l'humain en maître de son désir d'enfants. Il n'en est pas le maître absolu puisqu'il ne détient pas toutes les clés du mystère de la vie, mais il est amené à se poser sérieusement la question de sa reproduction, le désir de prolonger sa lignée, de devenir parent.

La contraception permet de ne plus être soumis à la biologie du corps et de mettre au monde des enfants dans le désir conscient partagé des deux parents. Elle leur offre la possibilité d'assumer leur descendance plutôt que d'en être totalement tributaires. Alors qu'à l'époque de nos arrière-grand-mères, la sexualité référée à la reproduction était assimilée le plus souvent à une affaire de corps ou de biologie, elle devient une question de rencontre et de désir, permettant à la dimension mentale et spirituelle d'occuper le devant de la scène.

Le fait de désirer un enfant dans le consentement mutuel des parents projette cet enfant dans un futur très différent de celui qu'on élève par obligation. Ce désir partagé lui permet d'être accueilli dans une matrice favorable et sécurisante, déjà ancrée dans l'histoire de ses deux parents. Ce désir exprimé se transmet à l'enfant en lui donnant le plaisir de vivre et la force de se réaliser. À l'inverse, l'enfant non désiré dans un projet conscient est le fruit de la rencontre de deux inconscients, mais non pas de deux personnes. Cet enfant risque alors de souffrir d'un problème d'ancrage. Ce manque de reconnaissance archaïque peut en effet l'empêcher de trouver une stabilité intérieure pour construire son identité sociale et son identité sexuée.

Troisième mutation :
la libération sexuelle

L'arrivée de la pilule contraceptive engendre l'idée que l'épanouissement sexuel des femmes, et par conséquent celui des hommes et des femmes, va pouvoir se vivre automatiquement. Les femmes de ma génération pensaient qu'elles n'allaient plus être, comme leurs mères, tributaires du risque d'enfants qui avait limité leur sexualité. Elles allaient pouvoir découvrir la jouissance sexuelle et vivre enfin ce dont elles avaient été privées. Avec la pilule, le tabou de la sexualité disparaissait. Nous étions consentantes, nous avions « de la chance ».

Telle est la troisième mutation qui donne naissance au mouvement de libération sexuelle des années 1970. C'est une période d'euphorie : la sexualité libérée fait dorénavant partie de la vie, nous allons pouvoir l'expérimenter. Nous pouvons découvrir charnellement notre futur mari avant de nous installer avec lui. Nous pouvons également choisir le père de nos enfants sans l'obligation du mariage. C'est à cette époque que 30 % des enfants sont conçus dans l'union libre[1]. Le coït interrompu n'étant plus nécessaire, l'homme en est ravi et la femme croit que cela va l'aider à accéder à la jouissance. Elle pense qu'il suffit que l'homme puisse jouir en elle sans crainte pour que cela l'y conduise automatiquement. L'idée préconçue que l'éjaculation de l'homme entraîne forcément la jouissance de la femme est alors très répandue.

À cette époque, une parole nouvelle sur la sexualité commence à apparaître entre les hommes et les femmes. Dans les couples, on se

---

1. Voir Évelyne Sullerot, *Quels pères ? Quels fils ?*, Paris, Fayard, 1992, et Didier Dumas, *Sans père et sans parole. La place du père dans l'équilibre de l'enfant*, Paris, Hachette Littératures, 1999.

met à se parler de soi, de son histoire et de son intimité. On cherche à instituer de nouveaux comportements entre hommes et femmes et à donner une place à la sexualité. Avant la contraception, selon les critères sociaux de l'époque, la femme se devait d'être vierge, « pure » ou « intacte » au mariage pour conserver sa dignité. Le mariage pouvait encore être arrangé par la famille. Puis l'amour est devenu le premier critère du mariage. « Je choisis et j'épouse l'homme que j'aime. » Avec la contraception et l'autonomie financière des femmes, une nouvelle étape est franchie : le mariage lui-même est remis en cause au profit de l'engagement moral d'amour, de la fidélité de parole et de la confiance du cœur.

Cette révolution sociale et sexuelle a permis aux femmes de devenir des « humaines pensantes » à part entière, osant prendre la parole pour s'exprimer. Dans les activités sociales, elles se sont épanouies et réalisées dans le travail en conquérant leur place. Les hommes ont reconnu leur efficacité et leur ont accordé une égalité qui n'est pas encore acquise partout. Une grande bataille a été gagnée, mais qu'en est-il aujourd'hui de leur féminité ? Deux générations après l'avènement de la contraception, les femmes ont-elles acquis une sexualité qui soit vraiment la leur ?

Une parentalité épanouie

Aujourd'hui, les progrès de la parentalité sont indéniables. La maternité et la paternité se sont épanouies au bénéfice de l'enfant. Non seulement le bébé est devenu une personne à part entière, mais le fœtus également[1]. Avec l'hapto-nomie, la science du contact affectif fondée par Franz Veldman, les hommes participent à la gestation de leur enfant. Dans certaines maternités, on propose des groupes de parole pour permettre aux futurs pères d'appréhender leur nouvelle fonction. De plus, ils participent à l'accouchement, ce qui fait que l'enfantement n'est plus le territoire exclusif des femmes, mais celui du couple qui l'accueille. Les nouveaux pères participent activement à l'éducation des enfants et le font avec autant de plaisir lorsqu'il s'agit d'une fille que d'un garçon.

Une sexualité encore trop ignorée

La femme du XXIe siècle est une femme qui pense, vit et agit d'une façon très différente de ses grand-mères et arrière-grand-mères. Mais si elle dispose d'une place nouvelle dans la société, elle continue de porter en elle les modèles des

---

1. Voir Jean-Marie Delassus, *Le Génie du fœtus. Vie préna-tale et origine de l'homme*, Paris, Dunod, 2001.

femmes de sa famille en ignorant le rôle festif régénérant et structurant de la sexualité.

Cette série de mutations n'a toujours pas permis aux femmes d'harmoniser leur vie de femme et leur vie de mère. À l'origine, la contraception est une mutation sociale pour limiter les naissances. Elle a permis de réaliser que d'être une mère et d'être une femme sont deux fonctions bien différentes qui ne se situent pas dans le même espace-temps. Mais pour savoir vivre une sexualité épanouie, la transmission sociale et l'évolution médicale ne suffisent pas. Certes, elles sont nécessaires pour « donner le ton », mais pas suffisantes pour en connaître la musique. La musique du plaisir sexuel vient d'une transmission individuelle et familiale qui détermine les paroles de la « chanson érotique » de chacun.

Le désir : une force
qui permet la rencontre

Le désir sexuel est une tension qui nous pousse à aller vers l'inconnu, la différence et la nouveauté avec l'espoir d'y trouver une complétude de soi. Pour la femme, exprimer son désir sexuel, c'est laisser transparaître la vibration qu'elle ressent pour un homme. C'est savoir répondre à un regard qui l'a vraiment regardée, à une parole qui l'a fait rire ou l'a touchée et qui, entrant à l'intérieur d'elle, a provoqué une émotion ou une sensation qui préfigure le plaisir de la pénétration.

Exprimer son désir permet à l'homme de saisir que sa présence fait ressentir à la femme quelque chose de spécifique à sa personnalité à lui : une sensation dans le corps ou une émotion dans le cœur. Il nous attire, nous redresse, nous enflamme ; bref, il nous interpelle et nous intéresse. Il n'existe aucun modèle. Chaque femme a son style, son originalité ou ses astuces pour l'exprimer.

Le désir exprimé est alors une tension qui nous mobilise et nous donne envie d'aller de l'avant afin de retrouver ou de confirmer la perception ressentie dans la rencontre initiale. Cette tension est un appel du futur qui nous force à bouger. Être dans son désir libère de l'énergie qui, sinon, reste enfermée dans l'imaginaire ; c'est cesser de dire non à l'autre pour dire oui à soi-même. Oser se déclarer, c'est se mettre sur sa propre route et prendre le risque de s'ouvrir à l'inconnu. J'ai souvent entendu les femmes me dire qu'elles n'osaient pas se déclarer de crainte d'être déçues. Déçues de quoi ? D'avoir une réponse négative ? Mais mieux vaut oser prendre le risque d'être vivante plutôt que de rester bloquée dans ses rêves de jeune fille asexuée !

Quand bien même son désir ne peut être réceptionné, il est important de ne pas s'éterniser à rêver d'une histoire impossible. Le savoir

permet de se rendre disponible pour une nouvelle rencontre. Les rêves de jeunes filles sont
peuplés de prétendants qui les enlèvent sans
qu'elles aient vraiment à se décider elles-mêmes.
Cette attitude, qui est un compromis entre la
peur de quitter « maman » et le désir qu'un
homme nous enlève pour nous extirper d'elle,
fait que la femme se laisse séduire sans être réellement désirante. Au contraire, si nous sommes
actives dans notre désir, si nous osons le contacter
pour le vivre, nous permettons à l'amour de
passer dans un autre espace : « l'espace du possible », de la rencontre, celui de la connaissance
qui permet de s'ouvrir au plaisir.

Quand le désir est inhibé

Mais alors qu'aujourd'hui nos choix et notre
libre arbitre pourraient servir dans le registre
amoureux, une majorité de femmes continuent
de vivre un drame affectif avec l'homme qu'elles
aiment. Dès qu'elles ne sont plus dans leur
reconnaissance sociale ou leur fonction de mère
et qu'elles se retrouvent dans l'intimité avec
un homme, c'est le désastre. La nouvelle donne
du féminin est encore à construire. Lorsqu'un
homme les désire, les femmes ne savent pas comment s'ouvrir ni à son désir ni au leur. Soit elles
ont besoin qu'il s'occupe d'elles et qu'il prenne
tout en charge, soit elles ont envie de fuir ou

restent repliées sur elles-mêmes ou sont complètement extérieures à la relation. Bref, elles se retrouvent aussi inhibées que l'étaient leurs grand-mères et arrière-grand-mères.

Un certain nombre d'entre elles ont pourtant réussi à oser vivre leur désir et découvrir leur vie sexuelle dans le plaisir et la jouissance. Elles s'y sont autorisées grâce aux mœurs de l'époque, à une libération familiale et au soutien des copines. Mais lorsqu'elles rencontrent un homme dont elles tombent vraiment amoureuses, c'est-à-dire que leur cœur et leur esprit sont impliqués, qu'il est question d'engagement, de vie commune, de mariage ou, plus fréquemment, après la naissance d'un enfant, c'est la déstabilisation. Ces femmes régressent. Le modèle du féminin de leurs lignées de femmes remonte automatiquement à la surface et passe au premier plan. Sans le vouloir, à leur insu, elles emboîtent le pas au modèle ancestral qui n'a pourtant plus lieu d'être. Elles constatent alors que leur désir s'est évanoui. Il s'est volatilisé et la réception du désir de celui qu'elles aiment s'évapore.

À la longue, si cet état persiste, elles ne savent même plus si elles aiment vraiment cet homme. La sexualité qu'elles ont tellement revendiquée et défendue s'estompe et l'hégémonie du maternel asexué reprend le dessus. Elles se retrouvent comme leur mère, énergétiquement coupées en deux.

Il y aussi celles, beaucoup plus nombreuses qu'on ne l'imagine, qui vivent sans sexualité du tout. Ces femmes se sont construites sans aucune parole nouvelle et ont dupliqué automatiquement, comme l'emboîtement des poupées russes, le modèle sexuel de leur mère. Qu'elles soient jeunes ou moins jeunes, pour elles, le désir pour l'homme n'existe pas. Elles n'aiment fondamentalement pas les hommes ; elles les aiment comme des pères, des frères, mais pas dans leur masculin. « La sexualité, ce n'est pas pour moi, ça ne m'intéresse pas », disait la mère de Nathalie.

Enfin, la majorité des femmes vivent une sexualité qui, d'une façon ou d'une autre, est insatisfaisante. Ces femmes ont du désir, mais n'éprouvent pas le plaisir régénérant à l'intérieur de leur corps. Frustrées, elles n'ont pas accès à leur épanouissement sexuel.

Ces femmes peuvent aimer l'homme dans leur tête et leur cœur, mais pas dans leur corps. « Pourtant, me dit Mélanie, j'aime cet homme, il me plaît, j'apprécie ses qualités, je pense à lui, je suis attentionnée et lui fais des cadeaux qui lui font plaisir. Je suis heureuse de l'avoir rencontré, il y a de la joie et de la complicité entre nous. Et beaucoup de tendresse, nos corps se plaisent, les baisers sont délicieux. Mais dès qu'il y a pénétration, mes sensations de plaisir disparaissent comparées à celles si intenses de la vulve et du clitoris vécues précédemment par les caresses. »

Voilà comment le corps de Mélanie lui signale qu'il est toujours configuré comme celui d'une « petite fille » et pas comme celui d'une femme. Ce corps, enfant, n'a pas pu se modeler pour ressentir l'appel de la pénétration. Il ne sait rester qu'aux préliminaires de la rencontre amoureuse. La pénétration y est fade ou douloureuse ; son sexe n'a pas atteint sa maturité.

Mélanie poursuit : « J'aime son sexe dans le mien, ou plutôt j'aime l'idée que son sexe soit dans le mien, mais fondamentalement je n'aime pas son sexe. Il m'encombre, je ne sais pas quoi en faire. Face à lui, je suis démunie, c'est un étranger, je ne sais pas qui il est, il faut qu'il s'en débrouille tout seul. Mon intérieur est une abstraction. Ce n'est pas que je sente rien, mais j'attends que son sexe réveille le mien. »

Mélanie a beau aimer l'homme avec lequel elle vit, elle ne sait pas qu'elle peut désirer son sexe, le convoiter, l'apprécier, l'appeler, l'accueillir, le fêter et se laisser envahir par sa force et sa puissance.

En ce qui concerne les difficultés de la pénétration, on trouve toutes les variantes possibles : de l'impossibilité totale à être pénétrée, la douleur d'être pénétrée, l'anesthésie totale du vagin, en passant par l'érotisation des orifices de la bouche et de l'anus qui rendent la sodomie et la fellation appréciées sans qu'il y ait l'appel du pénis pour la pénétration vaginale.

Tels sont les schémas les plus fréquents de la sexualité des femmes que je reçois. Elles souffrent toujours d'ignorances et d'interdits qui les empêchent de ressentir le plaisir à l'intérieur de leur corps.

La seule construction charnelle à laquelle elles ont eu droit dans leur petite enfance étant celle du bébé au sein et des câlins, leur sexualité stagne dans les préliminaires de la rencontre. Elles aiment de cœur et de tête, mais elles restent sexuellement très passives sans oser exprimer leurs désirs. Elles ne savent pas créer l'accès à la découverte d'un plaisir pour le plaisir alors qu'elles ne rêvent que de ça. Pour elles, tout se passe comme si, pour ne pas trahir leurs mères, elles continuaient de préserver leur virginité en restant leurs filles dans la « royauté » de l'enfance.

Pour ces femmes, c'est avec le temps que l'insatisfaction se manifeste et s'installe. Perdant l'espoir de modifier leur sexualité, elles cachent en elles un cœur blessé. Leur inquiétude muette remplace peu à peu la joie. Ce qu'elles ont besoin de comprendre, c'est qu'elles aiment leur homme comme elles ont aimé leur mère. Petite fille, elles n'ont pu se représenter ni le sexe de leur père, ni ce qu'en faisait leur mère. Il ne leur a pas été donné une image fonctionnelle du sexe masculin ni du leur, ni de ce qu'ils pouvaient faire ensemble.

Telle est la « gynécologie sexuelle » que ces femmes m'ont aidée à créer. Ce sont, nous l'avons vu, Thérèse et son mari, Nathalie et ses mycoses, Catherine et ses cystites, Anne et son désir, mais aussi la hernie discale de Françoise qui coupait sa structure énergétique entre le haut et le bas de son corps où toute mobilité lui était proscrite. Alors que, pour aller bien, il s'agissait pour elles de rétablir et de consolider le courant énergétique, qui est tout à la fois celui qui nous permet de nous redresser et de nous sentir femme.

Le corps n'est pas invaginé

Dans tous ces cas, alors que le partage des idées et du cœur permet à ces femmes d'aimer un homme, leur corps de femme n'est pas « invaginé » : il ne s'est pas constitué en creux pour créer un appel intérieur. Il reste donc impénétrable comme celui d'une petite fille qui n'a jamais pu imaginer le rôle que joue le sexe de l'homme dans le plaisir d'être une femme. La pénétration n'a pas pu s'intégrer comme le passage vers la découverte et l'exploration d'un voyage intérieur, et encore moins d'une percée sur l'éternité.

La méconnaissance de la dimension énergétique de la sexualité lui donne alors un côté purement mécanique. Au lieu de créer une union des corps d'énergie, les sexes ne savent pas échanger leur puissance vibratoire, ce qui fait que le contact frotte en pouvant soit échauffer ou brûler la vulve, soit l'anesthésier quand la femme s'absente d'elle-même. La frustration qui en ressort est aussi grave que dangereuse, car elle fait que les corps de l'homme et de la femme se retrouvent enfermés dans une « Cocotte-Minute », ou pire : dans une tombe. Cette fermeture conduit les femmes à l'hystérie ou à l'inertie et les hommes à la violence ou à l'apathie.

De toute façon, pour un homme, le désir de faire l'amour, ce n'est pas uniquement faire l'amour avec une femme attentive, respectueuse et qui l'aime, c'est aussi faire l'amour avec celle qui le désire et souhaite faire l'amour avec lui.

Comment sortir
de la répétition transgénérationnelle ?

Dans tous les cas décrits précédemment, les femmes n'ont pas conscience de vivre dans l'enfermement du maternel de leurs lignées. La démonstration la plus évidente de cet enfermement s'illustre magistralement à la naissance d'un enfant. La jeune mère en a d'autant moins conscience que l'enfant a réellement besoin d'elle et qu'elle est prise dans cette réalité. Ne plus désirer faire l'amour ne la dérange pas, car

l'enfant la comble et qu'elle aime son homme.
Elle n'éprouve donc pas de manque. Elle n'aspire
la plupart du temps qu'à une seule chose : être
moins fatiguée et pouvoir se régénérer dans les
bras du père de son enfant pour un moment de
complicité fêtant leur nouvel état.

Toutefois, si cette situation perdure, la jeune
mère se retrouve épuisée – le jeune père aussi,
d'ailleurs. D'une part parce qu'elle n'arrête pas
une seconde, mais aussi parce que, se retrouvant
dans la structure énergétique de sa mère et non
pas dans la sienne, elle ne sait pas se régénérer.
Le lien qui la relie à l'enfant et à son homme est
un lien d'amour, de cœur et d'esprit, mais, à lui
seul, ce lien ne recharge pas le corps physique.

Remédier à cette dimension de la répétition
implique tout d'abord d'en prendre conscience.
Tout changement implique un apprentissage et
il est important de le prendre au sérieux, d'y
consacrer du temps. C'est un travail de construction qui consiste à imprimer en nous de nouvelles empreintes ou de nouvelles mémoires qui
vont supplanter celles que nous portons en nous
depuis des décennies. Il s'agit en premier lieu de
reconnaître et d'accepter que l'on n'a pas pu se
construire comme une femme désirante, pour
pouvoir accueillir une nouvelle image de soi.

Cela demande de changer d'état d'esprit, de
repenser différemment tout son fonctionnement
sexuel, car il s'agit de se donner une autre vie

que celle qui nous a été transmise. C'est un travail de renaissance qu'il faut créer et entretenir chaque jour afin d'intégrer notre sexe dans notre être tout entier. C'est par l'intention toujours renouvelée d'intégrer la vivance de son sexe dans son image du corps que les nouvelles empreintes vont pouvoir s'y imprimer peu à peu. Leur inscription s'effectue grâce à la conscience sensitive, c'est-à-dire aux sensations que l'on ressent quand on y pense. Il suffit de penser à son sexe et de le ressentir pour qu'il s'intègre à la personne. De cette façon, on se fabrique la peau de sensations qui aurait dû se mettre en place quand nous étions toute petite fille. Vivre cette dimension nouvelle de son désir permet de découvrir des sensations inconnues qui, agréables, signalent qu'elles sont structurantes à la vie de notre organisme. C'est en cela que ce travail est guérisseur. Il nous fait découvrir le pouvoir que nous possédons sur notre propre corps, en nous permettant de le changer et de le remodeler. C'est ainsi que l'affinage des sensations perçues, tant dans la vie quotidienne que dans la sexualité, balise le chemin de la nouvelle construction.

Savoir que notre corps de femme est « invaginé », qu'il est en creux, qu'il faut faire de la place avec bonheur à l'intérieur de nous-mêmes pour recevoir le sexe de l'homme et les forces qu'il transmet, c'est déjà apprendre à considérer la place de la sexualité dans sa vie d'une manière totalement différente de celle qui a été transmise.

C'est accepter d'être contente et fière que cette rencontre s'effectue à l'intérieur de son corps en sachant apprécier la différence et la complémentarité des sexes.

Ce sont ces nouvelles empreintes que nous allons pouvoir transmettre à nos futures filles pour leur apprendre à devenir des femmes désirantes qui sauront accueillir et recevoir le désir des hommes.

« Mais alors, me demandait Patricia, les femmes ne sauront être des femmes que lorsque leurs mères seront bien dans leur corps, qu'elles sauront en parler à leurs filles et valoriser l'existence du plaisir ? »

Il est certain que l'idéal est d'avoir des parents qui se désirent et savent en jouir. Dans ce cas, la fille se construit en s'identifiant sexuellement à sa mère et, à l'âge adulte, elle n'éprouve pas tous ces problèmes à vivre pleinement ses désirs sexuels. Mais bien que cette frange de population existe, elle reste très restreinte. La majorité des femmes d'aujourd'hui doivent admettre qu'elles appartiennent à une génération charnière entre un passé répressif et un futur en cours d'élaboration. Il est important que les mères puissent parler authentiquement à leur fille de leur sexualité puisque de toute façon celle-ci se transmet.

« Moi, j'ai eu beaucoup de mal à découvrir le plaisir sexuel alors que je pouvais déjà prendre la pilule. Tu peux le comprendre : ta grand-mère ne pouvait rien m'en apprendre du tout. Mais toi, tu fais partie d'une génération qui te permettra de savoir t'ouvrir à ce plaisir et tu pourras le vivre. » Sans une parole de la sorte, comment la fille peut-elle penser que sa mère, qui parle librement de tampons hygiéniques et de pilule, n'a pas su d'entrée de jeu faire l'amour et est longtemps restée une petite fille inhibée ? Réaliser que sa mère est dans l'ignorance et l'accepter, cela prend beaucoup de temps.

Si par contre la mère sait expliquer ce qu'elle a dû apprendre pour pouvoir changer, la fille aura la liberté de faire mieux que sa mère et osera découvrir pour elle-même. Quant aux mères qui n'ont jamais découvert la jouissance, il est aussi très important qu'elles en parlent. Elles peuvent par exemple dire à leur fille : « Ne fais pas comme moi ! Moi, je ne savais rien du tout. J'ai toujours attendu que ça vienne tout seul et ça n'est jamais arrivé. C'est très tard que j'ai compris que faire l'amour, ça s'apprend. Toi qui es consciente de tout ça, tu y arriveras obligatoirement mieux que moi. » Si la mère propulse sa fille en future femme, la fille saura qu'elle se doit d'être créatrice de sa vie de femme et cela l'autorisera à apprendre et à changer.

En résumé, on pourrait dire que, de génération en génération, de nos arrière-grand-mères à nos grand-mères et à nos mères, la fonction de femme est passée de la passivité et de la dépendance totale à la mère et au mari à une liberté qui, aujourd'hui, en est encore à se revendiquer. Elle est loin d'être acquise.

Les progrès sont pourtant réels, mais si je m'en tiens aux trente années durant lesquelles j'ai écouté et suivi des femmes, force est de constater que les difficultés qu'elles éprouvent à assumer leur vie affective et sexuelle sont encore très grandes. En fait, les femmes se sont surtout libérées dans le social. C'est à ce niveau qu'elles ont radicalement réussi à se différencier de leurs grand-mères et de leurs arrière-grand-mères. Du même coup, elles existent plus dans leur masculin, où elles se sont autonomisées et sont devenues créatrices. Dans leur féminin, elles restent toujours emboîtées dans les femmes de leurs lignées, n'ont pas de sécurité de base qui leur permette d'exprimer leur désir ou de répondre à celui de l'homme. Cette coupure continue de les faire souffrir d'angoisses et de manque de reconnaissance de soi, et souvent elles s'enferment dans l'insatisfaction de leur vie de femme ne sachant pas profiter de l'amour que les hommes leur portent.

Le désir sexuel de l'homme
commence au sexe et celui de la femme
au cœur, entre les deux seins

« J'ai besoin de beaucoup de temps », disent souvent les femmes qui se plaignent de l'empressement des hommes à vouloir les pénétrer. La sexologie chinoise m'a appris que les hommes et les femmes sont construits différemment et qu'il y a toute une tactique, un jeu à inventer, pour permettre aux sexes de s'ajuster et de s'emboîter au bon moment.

Pour les hommes, l'excitation sexuelle se focalise d'emblée au niveau de leur sexe, alors que pour les femmes, elle commence au niveau des seins et du cœur pour descendre se répercuter dans leur sexe. Voilà ce qui fait mieux comprendre le décalage entre le désir souvent immédiat de l'homme à pénétrer la femme et celui de la femme qui dépend du temps que mettent les énergies du cœur à investir son sexe. C'est donc la créativité de la danse érotique qui permet aux amants de « s'ajuster », afin de mettre leurs désirs à l'unisson. Bien sûr, la confiance laisse les corps se prendre au plaisir de la danse. Cette créativité est d'autant plus appropriée et modulable que chacun peut y nommer ses désirs et ses attentes. C'est donc par la connaissance de soi-même et de l'autre que la rencontre peut non seulement s'effectuer et se renouveler, mais aussi évoluer avec le temps et l'expérience. Il est évident que la pénétration doit se faire quand la femme en a envie et qu'elle y est prête pour que la magie de la rencontre se produise. Mais très souvent, sans que cette femme en ait conscience, son sexe reste fermé énergétiquement à recevoir le pénis.

Dans son attirance pour un homme, elle commence toujours par en rêver. C'est ainsi que ses sens s'éveillent. Elle est attirée par cet homme, mais comme elle est coupée en deux, elle ne ressent pas forcément son sexe s'ouvrir à lui. L'énergie de son désir et de ses pensées, même si elle traverse le cœur, n'atteint pas son sexe. Il n'y a pas de mouvement de descente.

Chez l'homme, le désir sexuel part du corps, de ses muscles. Il lui faut répondre à la tension corporelle qui l'installe dans son sexe. Lorsqu'il est en érection, c'est le désir de planter son sexe dans le corps de la femme qui l'anime, et dans la pénétration, il le ressent à sa place. C'est sa façon à lui de se sentir entier, au sens propre du terme, puisque alors tout son corps est irrigué, il se sent exister. Chez lui, l'énergie sexuelle part donc du sexe pour remonter vers le cœur et la tête. Le corps de la femme est pour lui un espace d'ancrage à la terre où il peut se ressourcer et c'est la qualité de la relation qui va contacter son cœur, le bonifier et animer ses pensées.

Pour une femme, le désir est une force qui lui permet d'aller à la rencontre de l'homme, une force pour assouvir sa curiosité, aller vers ce qu'elle ne connaît pas. C'est accepter d'accueillir l'inconnu régénérateur dont il est porteur et dont elle va se nourrir. C'est pour elle un « ascenseur céleste », qui lui permet de s'élever.

Les femmes et leur désir :
« des têtes flottantes »

Au niveau des transmissions dont l'homme et la femme héritent, il y a une grande différence entre celle faite à la fille et au garçon depuis des générations. La principale est que le garçon sait depuis toujours qu'il aura à vivre une sexualité de plaisir dans sa vie adulte. Il ne sait pas comment, puisqu'on ne lui a pas non plus donné d'explications comme outils de pensée, mais il le sait, son esprit le sait. Généralement, la fille ne le sait pas du tout. C'est ce manque d'éducation sexuelle qui fait que l'esprit de la fille et future femme reste séparé de son sexe. Or s'ils ne sont pas reliés, l'esprit ne sait pas informer le sexe pour qu'il s'anime et s'ouvre. Ce sexe reste ainsi bloqué ou exclu et, lorsque ces femmes tombent amoureuses, elles sont inhibées par toutes sortes de tabous et d'interdits qui les séparent de l'homme qu'elles aiment ou aboutissent à le faire fuir. De ce fait, une grande majorité de femmes sont des « femmes-troncs », dont la vie s'arrête à la ceinture, ou plus exactement : au diaphragme. Ce sont, en quelque sorte, des « têtes flottantes » au-dessus d'un corps désincarné.

Reste maintenant à comprendre qu'entre l'homme et la femme, la place de chacun se découvre dans la compénétration des sexes à l'intérieur du corps de la femme, c'est-à-dire anatomiquement dans son vagin, mais énergétiquement dans son utérus. Ce dernier est en effet un organe qui n'est pas seulement destiné à la reproduction, il constitue la matrice énergétique de sa propre construction et de celle de l'autre. C'est l'organe central dans la jouissance féminine, le creuset alchimique de la rencontre des énergies féminines et masculines de soi-même et de l'autre. C'est là que les forces sexuelles se rencontrent et cherchent à se mettre à l'unisson pour se potentialiser. C'est le lieu de la reconnaissance de chacun.

Mais alors, le désir,
qu'est-ce que c'est ?

Le désir est une tension qui, par définition, tend vers du nouveau, du plus loin, du plus haut, de l'inconnu, dans l'espoir d'une réalisation, d'une complétude de soi. Cette tension est à la fois un appel qui nous fait aller de l'avant et une propulsion qui nous pousse à avancer. Il est détenu et contenu par notre esprit.

S'il n'y a pas de découverte en perspective, on reste dans le même, il n'y a plus d'appel et le désir ne se manifeste pas.

Dans la rencontre amoureuse et charnelle, seul le désir préside à une sexualité enrichissante et satisfaisante, puisque le plaisir est la réalisation du désir. Le plaisir, c'est la saisie au présent d'un « morceau de futur » qui avait été anticipé ou qui a l'air de tomber du ciel et s'inscrit dans le corps sous forme de sensations délicieuses.

Le désir est notre étincelle et notre moteur de vie. À la naissance, il est désir de vivre ; plus tard dans l'enfance, il est désir de grandir ; à partir de l'adolescence, il est désir de se réaliser, devenir soi-même en harmonie avec son propre sexe et celui de l'autre. Le désir ouvre la porte du futur : « De quoi ai-je envie ? Qu'est-ce que je souhaite ? Qu'est-ce que je veux ? » Il nous fait nous poser la question, il nous rend autonomes. Il est à l'origine de nos choix conscients et inconscients, il oriente les directions et les chemins que nous prenons. Il permet que nous soyons uniques en notre genre tout en étant reliés à la collectivité. Le désir, c'est le guide de l'accomplissement de notre vie.

CHAPITRE VII

Qu'est-ce que faire l'amour ?

Lorsque nous faisons l'amour, ce qui nous arrive n'appartient pas au quotidien, c'est extraordinaire. Une nouvelle sensualité se révèle, nous allons à la découverte et à la création de notre nouvelle peau de sensations. C'est en la découvrant qu'elle se construit. Nous avons besoin de ce passage pour avoir envie de caresser et de nous faire caresser.

Nourrisson et enfant, nous avons eu besoin de caresses et de chaleur humaine pour pouvoir nous construire et grandir. Adulte, nous avons toujours besoin de chaleur humaine pour vivre et nous construire. Faire l'amour est alors le rendez-vous pour les caresses extérieures et intérieures. Chez le nourrisson, la réception de l'amour et des caresses est une évidence vitale.

Dans la sexualité adulte, les caresses créent un espace d'échange où chacun est présent à lui-même et à l'autre. C'est une caresse mutuelle où chacun se donne à l'autre et reçoit de l'autre, où la sensation qu'elle procure permet le passage de l'extérieur vers l'intérieur des corps ; nous entrons dans le monde de l'échange amoureux. C'est une danse où les partenaires doivent s'ajuster et se mettre en phase, cela se fait à deux, ce n'est ni l'un ni l'autre, c'est ensemble que l'on construit quelque chose. C'est le monde vibratoire des sensations et des images qui rappelle l'univers que l'on a connu, bébé, avant de savoir parler.

Découvrir, habiter et explorer ce monde nous permet de vivre ensemble et séparément un voyage qui comporte différentes étapes.

La parade amoureuse

La parade amoureuse implique tout ce qui se passe avant que les corps ne se touchent. C'est un moment de transition qui permet de quitter provisoirement les repères habituels du monde matériel, de l'action et de la raison, pour passer sur une autre scène et privilégier d'autres perceptions de notre corps. Ce sont celles de notre imaginaire et des ondes vibratoires de notre sensualité à travers lesquelles s'exprime le désir d'union.

Chacun a besoin de se sentir flatté d'avoir été choisi par l'autre et de conforter l'autre dans son bon choix. C'est un temps pour que chacun dise oui à la promesse de la rencontre des corps et accepte de mettre en jeu son sexe dans sa vie avec cette personne particulière. Chacun dispose de sa propre créativité pour témoigner à l'autre qu'il lui plaît et qu'ils sont partants pour vivre ensemble cette incursion dans le monde du plaisir des sens.

C'est le moment où nous donnons du temps au temps afin de permettre la création d'un espace commun, préliminaire à la rencontre des sexes. C'est celui des promenades où l'on partage la beauté des paysages, où les regards soutenus nous pénètrent en profonfeur, où éclatent les sourires et les rires qui nous rendent complices, celui des mots qui caressent nos oreilles et des mouvements de nos corps qui s'accordent dans leurs rythmes.

Tout à la fois danseurs et musiciens, nous nous branchons ainsi l'un à l'autre pour « accorder nos violons » et improviser le duo qui s'apprête à être joué.

La création d'un espace commun :
les préliminaires à la rencontre des sexes

C'est maintenant tout ce qui se passe par les caresses et les baisers qui précèdent la compénétration des sexes. C'est le bonheur de se sentir désirée, en savourant ces moments délicats, remplis d'attentions et d'ajustements à l'autre pour qu'une créativité à deux puisse émerger. Le désir de l'homme est généralement mobilisé par le regard qu'il porte sur la femme et l'écoute qu'il reçoit. La femme, elle, a besoin de paroles qui ouvrent son cœur pour le relier à son sexe ; c'est pourquoi elle est dite plus sentimentale.

Nous avons vu que la sexualité de l'homme prend sa source à la racine de son sexe, alors que celle de la femme s'ouvre au cœur, au niveau des seins. Pour elle, les préliminaires permettent d'opérer un mouvement de descente des énergies du cœur vers le sexe, tandis que chez l'homme s'opère un mouvement inverse de remontée des énergies du sexe vers le cœur. C'est alors le désir de la femme qui, touchant le cœur de l'homme, connecte son sexe à son cœur, et ce sont les paroles de l'homme qui, s'adaptant subtilement aux baisers et aux caresses, font descendre le désir de la femme vers son sexe. Cette période d'échauffement et d'ajustement des sens allume la flamme intérieure que la femme ressent peu à peu apparaître dans son petit bassin, où celle-ci crée le désir d'être pénétrée.

Dans cet art qu'est la danse amoureuse, l'homme et la femme se stimulent l'un l'autre à travers la communication de tous leurs organes sensoriels. Les baisers et les caresses ouvrent ces portes que sont les zones érogènes : la bouche, les seins, le clitoris, le pénis, les testicules, ainsi que toute la surface de la peau. Les amants s'attardent sur la surface extérieure des corps

pour, peu à peu, franchir la frontière entre l'extérieur et l'intérieur par l'entrecroisement des
langues qui s'unissent en s'embrassant ou par les
caresses des doigts et des lèvres sur les orifices
par lesquels s'ouvre le corps. Chacun se donne
et s'abandonne, en se lovant dans les bras de
l'autre.

L'étreinte abolit les frontières des corps physiques pour créer un espace commun de résonance dans lequel les amants tendent à ne faire
plus qu'un. Cet espace commun renvoie à celui
du nourrisson et de ses parents, principalement
de sa mère. Chacun se retrouve ainsi, grâce à
l'autre, dans l'espace du bébé qu'il a été et
contacte sa propre peau de bébé.

Cette peau de sensations, qui est celle de l'érotisme, a commencé à se construire dès le stade
fœtal pour, ensuite, se structurer dans les
échanges de corps à corps affectifs, énergétiques
et spirituels, avant tout avec sa mère et son père.
Elle remet en jeu une communication infraver-
bale sensitive que l'on a connue avant trois ans,
dans laquelle ce que l'on ressent ou pense est
ressenti par l'autre. C'est ce qui fait que, dans
l'amour, on n'a plus besoin de se parler pour se
comprendre. Le désir de l'autre stimule alors son
propre désir, car les bienfaits des caresses et des
baisers viennent surtout de l'intention dont est
porteuse la vibration de celui qui les donne. C'est
d'en ressentir l'intention qui permet de s'abandonner à lui.

Le baiser mobilise la bouche et la langue, l'orifice qui, après l'ombilic, est devenu à la naissance notre premier centre vital et est donc celui par lequel nous avons découvert le monde. C'est en effet par la bouche que nous avons ressenti notre première satisfaction. C'est donc en retrouvant la sensation du premier organe qui a pénétré notre corps, le mamelon de la mère, que nous retrouvons la confiance qui permet de s'abandonner à l'autre, ou au contraire la rigidité et le dégoût faisant qu'on le repousse. D'ailleurs, les problèmes d'allaitement qui ont empêché l'enfant de se sentir nourri avec confiance et bienfaisance entraînent souvent plus tard une difficulté à donner des baisers ou à recevoir la langue de l'autre dans sa bouche. L'énergie du baiser est une vibration qui résonne dans le sexe.

Ce lien énergétique entre la bouche et le sexe se construit durant la période fœtale par l'avalement du liquide amniotique et son expulsion par les voies urinaires dans le ventre de notre mère. C'est pour cela que, dans l'amour, le mélange des salives et le contact des langues, le « baiser mouillé », se répercutent dans le sexe en étant à la fois le rappel du plaisir de la tétée et celui de l'avalement du liquide amniotique.

Le baiser contient ainsi toutes ces mémoires qui ravivent les liens d'amour que l'on a noués dans l'enfance avec la mère. En s'embrassant, l'homme et la femme retrouvent ensemble des vibrations semblables à celles qu'ils ont connues séparément avec leur mère quand ils étaient bébés. Voilà pourquoi les femmes et les hommes qui ont eu un début de vie affective difficile avec leur mère n'aiment pas ou ne savent pas embrasser.

Les baisers et les caresses peuvent même être agressifs, comme si l'amour les confrontait à nouveau aux manques ou aux abus qu'ils avaient rencontrés plus jeunes. Cela donne des hommes et des femmes qui ne savent vivre leur sexualité qu'en éliminant l'étape des préliminaires afin que leur sexe soit tout de suite à l'avant de la scène et qu'ils puissent se sentir dans une créa-tion qu'ils vivent comme personnelle. Pour d'autres, au contraire, cette étape des prélimi-naires peut durer « toute la vie ». Ce sont le plus souvent des femmes qui ont été câlinées et aimées suffisamment, mais qui ont aussi été pro-mises à rester des bébés pour toujours. Elles peu-vent donc aisément retrouver avec un homme le « nirvāna » qu'elles ont connu bébé, d'autant plus qu'elles peuvent ne pas savoir qu'il y a autre chose à découvrir.

La caresse des seins

Excités par les caresses ou la bouche, les seins sont une zone érogène très puissante. Ils se raf-fermissent, le mamelon se durcit et le plaisir ressenti se répercute immédiatement dans le sexe. L'érotisation des seins est un rappel de l'allaitement et du plaisir de la tétée. Pendant la tétée, la mère et l'enfant sont dans le même espace vibratoire : la succion du mamelon résonne dans l'utérus de la mère, et si c'est un nourrisson garçon qui tète sa mère, il peut avoir une érection. Il y a alors toutes les raisons de penser que l'utérus du nourrisson fille entre en résonance avec celui de sa mère. C'est ce qui explique que l'homme puisse être excité par les caresses des seins. Il y retrouve non seulement le plaisir du contact du sein, mais aussi les résonances qu'il a ressenties dans son sexe durant les tétées. Mais comme ce sont les caresses érotiques qui sont bienfaisantes, s'il tète le mamelon d'une femme comme pour boire du lait, il en confond la fonction nutritive et la fonction énergétique, ce qui peut être pour la femme tout à fait désérotisant. Ainsi Martine, qui s'est rendu compte qu'elle tétait le pénis de son homme comme si elle tétait le sein de sa mère.

On voit combien il est important de savoir reconnaître ses ignorances et d'apprendre à se parler. Les amants s'instruisent l'un l'autre des organes dont ils ne connaissent pas le fonctionnement et créent ainsi l'espace vibratoire commun qui est celui de la rencontre amoureuse.

La fixation clitoridienne
de la sexualité

Non construite pour ressentir le désir d'être pénétrée, mais suffisamment confiante pour se laisser aller, la femme se comporte passivement comme lorsqu'elle était bébé. Ce corps de bébé fille aime et se laisse aimer par cet homme comme elle a aimé ses parents et été aimée par eux. Dans l'abandon à cet homme, elle peut aussi réparer ce qu'elle n'a pas eu bébé et ainsi combler les manques qu'elle aurait dû avoir petite. Que cet homme la prenne par la main, la prenne dans ses bras, la touche, la caresse ou l'embrasse, c'est déjà un si grand bonheur qu'elle en est narcissisée : elle se sent aimée et désirée. En confiance, elle se laisse faire.

Avec le toucher et les baisers, toute sa peau, ses lèvres, ses seins, sa vulve et son clitoris vont être érotisés. Les énergies de son cœur descendent au niveau de son sexe, elle « mouille ». Si son clitoris est stimulé, elle va pouvoir avoir une jouissance clitoridienne. Un orgasme qui harmonise ses énergies sexuelles de sa construction de bébé fille. Elle est satisfaite, se sent reconstituée, réunifiée. Alors, bien souvent, pour elle, le duo se termine ici.

Elle s'est laissé embarquer par cet homme dans son propre « nirvāna » et ne ressent plus le désir de vivre autre chose avec lui. Elle a fini son voyage et se retire de l'échange. Elle attend alors passive et consentante (dans les meilleurs cas) que l'homme finisse seul son monologue alors que lui pensait continuer le partage avec cette femme bien préparée à le recevoir.

Cette femme s'est reconstituée en tant que fille, mais elle ne s'est pas reconstituée en tant que femme : elle n'a pas ressenti le désir d'être pénétrée. Du même coup, elle confronte l'homme à une promesse de rencontre qui a tourné court et l'empêche de se reconstituer. Il y a alors pour elle une confusion entre l'inclusion dans la mère, l'endobiose[1], qui conduit à un comportement passif et dépendant, et la sexualité adulte dans laquelle chacun émet et reçoit pour constituer avec l'autre un état de symbiose où tous deux sont actifs.

Désirée, mais aussi désirante

Jusque-là, la femme a caressé son cou, sa tête, ses cheveux, son torse, ses épaules ou son ventre, mais elle n'est pas allée jusqu'à son sexe. Elle a caressé cet homme comme elle a été caressée petite ou comme elle aime être caressée, mais elle n'est pas passée dans le plaisir de sa découverte sexuelle.

---

1. Voir Jean-Louis Revardel, *Constance et fantaisie du vivant*, Paris, Albin Michel, 1993.

Se sentir désirée pendant les préliminaires n'est qu'une partie de l'aventure. Faire l'amour avec un homme ne s'arrête pas aux retrouvailles du bébé, pour lesquelles il n'y a pas besoin d'homme ni de rencontre des sexes. Quand une femme est construite pour vivre sa sexualité adulte, les préliminaires servent non seulement aux retrouvailles du bébé et de sa peau de sensations, mais aussi et surtout à préparer l'emboîtement des sexes pour la découverte du voyage intérieur. Il ne s'agit pas de quitter l'espace du bébé confiant, mais ce bébé a grandi, il est devenu un adulte sexué. Dans les préliminaires, tout ce langage des corps va préfigurer la pénétration : on dit que les corps s'épousent.

La femme est alors aussi désirante du sexe de l'homme qu'il l'est d'elle et du sien. Elle le lui témoigne en appréciant cet appendice si différent de ce qu'elle connaît de son propre corps. Elle va ainsi à sa rencontre, prend du plaisir à le regarder, le caresser, l'honorer et découvrir son fonctionnement. Les caresses et les baisers qu'elle lui prodigue lui font du bien à elle. Ils résonnent dans son propre sexe, en confortant son désir d'être pénétrée. Il ne s'agit surtout pas de considérer cette appréciation comme un devoir qui fait plaisir à l'homme, car dans ce cas les portes du ressenti ne sont pas ouvertes.

Chacun a besoin d'être confirmé à sa place par le désir de l'autre, car c'est ce qui permet aux énergies de s'ajuster. Si la femme est incapable d'apprécier le sexe de l'homme en caressant ses testicules, en ressentant dans sa bouche la puissance masculine de l'érection, ou si le sexe masculin la dégoûte, c'est qu'elle n'a reçu aucune instruction, aucune parole de sa mère lui permettant de se penser femme dans le rapport au sexe de l'homme. C'est comme si elle n'était sortie que du ventre de sa mère et que son père n'avait joué aucun rôle dans sa présence sur terre. N'ayant pas pu se constituer enfant une représentation de la sexualité adulte, elle ne peut pas la concevoir comme une histoire de partage, de différence et de complémentarité entre les hommes et les femmes.

Pour l'homme, le désir de la femme envers son sexe est aussi nécessaire à son bien-être et lui donne l'énergie nécessaire à la poursuite avec elle du voyage érotique. L'envie de découvrir et d'exciter le sexe de la femme, de savoir comment il fonctionne en l'embrassant avec la bouche et la langue, lui permet de retrouver le lieu d'où il est sorti et que Gustave Courbet a si joliment peint en l'appelant *L'Origine du monde*. La chaleur, la douceur, les odeurs et les saveurs constituant le paysage dans lequel il s'engouffre augmentent d'autant son désir de la femme. C'est ainsi que la qualité du plaisir que l'homme provoque chez la femme et qu'en retour elle sait lui exprimer intensifie les préliminaires et diffère son empressement à la pénétrer.

Si la femme ressent de l'appréhension, l'homme va le percevoir. Il est vrai qu'il faut avoir franchi un certain seuil de sécurisation et de confiance en soi pour ressentir le désir de faire l'amour. Comme l'exprime Marjorie, « cela ne se passe bien que si je suis sécurisée et il m'arrive encore de ne pas l'être. C'est pour moi maintenant un préalable, car j'ai compris que si je ne suis pas sécurisée, je n'arrive pas à m'abandonner ». Marjorie éprouve en effet de la reconnaissance envers l'homme à qui elle plaît, mais elle ne ressent pas de désir de faire l'amour. Elle a envie d'avoir envie, mais son cœur n'y est pas, il n'est pas « vide », comme disaient les anciens Chinois[1], c'est-à-dire disponible afin de pouvoir laisser passer le désir. La femme se retrouve alors coupée en deux. N'arrivant pas à être présente à elle-même, elle ne peut pas être présente à l'autre.

C'est pourquoi les femmes qui ont eu une enfance où l'amour était incohérent, parce qu'il était envahissant, débordant et étouffant, ou au contraire insuffisant et manquant, ont du mal à se laisser caresser et embrasser, et encore plus à se faire pénétrer : par manque de confiance en l'autre. « Ma mère m'attirait contre elle et me serrait si fort que j'étouffais littéralement.

---

1. Voir Claude Larre, Élisabeth Rochat de la Vallée, *Les Mouvements du cœur. Psychologie des Chinois*, Paris, Desclée de Brouwer, 1992.

Comme mes tentatives de retrait ne faisaient qu'augmenter la force de sa contention, j'appris à ne pas bouger, à ne pas sentir, à serrer les mâchoires et les épaules en attendant qu'elle veuille bien se désagripper[1]. »

Lorsqu'un homme prend dans ses bras ce genre de femme, celle-ci peut retrouver la peur d'être à nouveau tenue prisonnière et cette appréhension l'empêche de s'ouvrir à lui. Sa peur que l'amour devienne un enfermement provient de l'amour dévorant que lui portait sa mère. D'autres femmes, à l'inverse, reproduisent automatiquement avec l'homme aimé l'amour dévorateur de leur mère. Elles ne se rendent alors pas compte que leur amour est étouffant pour cet homme, que celui-ci le reçoit comme une déferlante qui le submerge, et elles ne comprennent pas que cela détruit chez eux tout désir érotique et peut même les faire fuir.

Profiter de ce que l'on n'a pas

Bien que l'amour implique les retrouvailles d'un connu infantile, son but est de nous donner envie d'être curieuse de découvrir du nouveau et accueillir l'inconnu. La pénétration permet alors aux deux sexes d'échanger leurs puissances

---

1. Chitra Banerjee Divakaruni, *Mariage arrangé*, Arles, Philippe Picquier, 2001.

vibratoires afin que chacun profite de ce qu'il n'a pas. Faire l'amour est alors une fête. Une magie d'être vivants ensemble grâce à la différence et la complémentarité de chacun. Cela nous aide à nous reconstituer et nous renforcer.

Pour les femmes qui sont dites ou se disent clitoridiennes, ce n'est pas de jouir de son clitoris qui pose problème, mais de penser que cela peut suffire dans la rencontre sexuelle. Il s'agit d'être dans l'échange, d'assumer un accord élargi, plus subtil et complet, afin de pouvoir ressentir la vivance de son sexe à l'intérieur de son corps.

La jouissance clitoridienne n'est que le début d'un processus qui, normalement, est là pour nous donner envie d'aller plus loin et de découvrir un intérieur et un ailleurs à nous-mêmes. Tendre vers cet ailleurs, c'est vouloir que son sexe devienne vivant, lui permettre de s'ouvrir à la sensation et envisager la pénétration comme la possibilité que les deux sexes soient, de par leur rencontre, vivants ensemble.

À chaque étape de la rencontre amoureuse, à chaque nouvelle exploration, des blocages peuvent se révéler. Ceux-ci nous renvoient toujours à notre propre histoire. Contrairement à ce que l'on a souvent tendance à penser, les blocages ne sont que très rarement la faute de l'autre. Il est donc plus sage et aussi plus efficace de penser que c'est la rencontre de l'autre qui réveille une problématique personnelle. Inconsciente jusqu'alors et s'étant constituée avec nos parents, elle n'a pas pu se résoudre avec eux. En ce sens, l'amour est ce qui nous permet d'ouvrir les yeux sur les blessures de notre propre histoire, de les prendre en charge et de les réparer.

Si la femme ne trouve pas en elle le désir d'être pénétrée, mais qu'elle se laisse faire pour répondre au désir de l'homme, elle lui offre quelque chose qui ne peut pas être pleinement satisfaisant pour lui, mais surtout elle se prive elle-même du plaisir régénérateur auquel la médecine chinoise attribue le pouvoir de repousser les maladies.

La compénétration des sexes

L'amour est revitalisant et donc thérapeutique si la compénétration des sexes est une rencontre tout à la fois physique, énergétique, émotionnelle et psychique. Lorsque la femme sent son vagin vibrer au contact du sexe de l'homme, elle perçoit cette vibration comme une autre vie en elle qu'elle accueille, qu'elle aime et qui l'anime. Pouvoir ainsi accueillir, dans son corps, une des parties les plus vivantes de l'homme préfigure ce qui arrive lorsqu'elle attend un enfant. Il s'agit donc d'une perception fondamentale qui l'aidera à être plus construite dans sa vie en général, mais aussi à pouvoir accueillir un enfant.

La création du phallus

L'homme pénètre, la femme accueille. Leurs sexes emboîtés créent un nouvel espace vibratoire commun que chacun alimente en se donnant de plus en plus à l'autre et en recevant de plus en plus de l'autre.

Dans la jouissance érotique, la rencontre du féminin et du masculin des deux partenaires fait qu'ils se dynamisent l'un l'autre, se complètent mutuellement et s'amplifient. La différence des sexes ne concerne que notre corps physique, sinon nous sommes tous bisexués. En Chine ancienne, le plaisir sexuel était le produit de l'union du principe masculin Yang et du principe féminin Yin, mais comme l'un n'existe jamais sans l'autre, le masculin et le féminin coexistent tous deux en chacun de nous.

La complémentarité des sexes ne va plus être une histoire de pénétrant ou de pénétré, mais celle d'une compénétration mutuelle qui s'établit par le contact vibratoire des muqueuses. Les sexes alors, dans un duo vibratoire, échangent, « se parlent » et dansent ensemble. C'est ainsi à deux que l'on crée le phallus. Le phallus n'est donc pas constitué du seul sexe masculin ou d'une érection solitaire, comme il s'est faussement divulgué, mais également du sexe vivant dans lequel il s'emboîte. Chacun alimente le phallus de sa propre énergie pour que l'homme et la femme en récoltent le plaisir.

Sentir son utérus et entretenir le feu

La femme se connecte alors psychiquement aux forces sexuelles de l'homme qui sont celles de ses testicules afin de les réceptionner dans son utérus. Au niveau de l'énergétique sexuelle, l'utérus devient tout à la fois la caisse de résonance et le creuset alchimique de la rencontre des deux forces sexuelles du masculin et du féminin, du Yin et du Yang, de l'Eau et du Feu de chacun.

C'est à partir de l'utérus que le plaisir peut se diffuser pleinement à l'intérieur des corps. Non seulement à l'intérieur du corps de la femme, mais aussi dans celui de l'homme qui, lui, le ressent comme une invitation à le pénétrer de toutes ses énergies.

Quand le plaisir est vaginal, la femme reçoit la force du sexe masculin, ce qui la régénère et la consolide, mais elle reste dans le vestibule. C'est l'utérus qui centralise la capacité d'expansion dans tout le corps des souffles de la jouissance.

Percevoir ainsi la puissance de cette force est pour la femme le révélateur de sa féminité, la preuve vivante de la puissance créative de son corps. C'est un « ascenseur céleste » qui permet aux énergies de remonter dans le haut du corps et même au-delà pour la brancher au ciel. L'homme, lui, qui est alors « porteur du Ciel », comme le dit la tradition chinoise, s'enracine dans le sexe de la femme et s'y ressource. Si la femme n'accueille pas ses forces sexuelles, l'homme ne peut pas contacter la source et trouver une pleine satisfaction. Dans cet échange, le rôle de la femme est d'« entretenir le feu » qui soutient l'érection de l'homme. C'est précisément en recevant le feu de son énergie sexuelle et en lui exprimant qu'elle vibre en ressentant sa puissance, qu'elle l'entretient.

Il arrive que les hommes perdent leur érection au moment de pénétrer la femme alors qu'ils la désirent ardemment. Contrairement à ce qu'on a l'habitude de croire, l'homme n'est pas le seul responsable, la femme joue un rôle très important dans l'entretien de l'érection. Si elle n'a pas fait en elle la place nécessaire pour accueillir son sexe ou si elle ne sait pas entretenir son feu, l'homme peut perdre son érection sans plus savoir où il est.

La chute de l'érection peut être aussi la conséquence de l'intensité de son amour pour la femme avec laquelle il est en train de faire l'amour, qui lui fait confondre inconsciemment son corps avec celui de sa mère. Cela arrive assez souvent après l'arrivée de la paternité ou lors d'un véritable engagement d'amour.

Dans le voyage amoureux, l'autre est non seulement le révélateur de ses propres plaisirs, mais il est aussi celui de ses difficultés qui, pour tous deux, renvoient chacun à sa propre histoire familiale et personnelle.

Être tout à la fois à soi et à l'autre

Maintenant, il s'agit d'être à la fois tout à soi et tout à l'autre. Le fait d'avoir constitué un espace vibratoire commun le permet, nous sommes en empathie. Cela exige une disponibilité totale à cet échange et c'est l'intérêt de se donner des rendez-vous pour être clair sur l'objectif de la rencontre.

Quand on fait l'amour, dès que l'un des deux est détourné par une pensée parasite, qu'il se retrouve perdu en lui-même ou ailleurs et s'évade, le corps d'énergie que tous deux constituent se dégonfle comme une baudruche. La communication est rompue et se ressent par l'autre comme une chute brutale d'énergie. Les corps alors se retrouvent dans deux espaces séparés qui ne sont plus reliés.

Soutenir d'être tout à soi et en même temps tout à l'autre est exigeant. En étant tout à l'autre, le risque est de s'oublier soi-même et de ne prendre en compte que l'énergie de l'autre sans tenir compte de la sienne propre. En étant tout à soi-même, le risque est au contraire d'oublier l'autre. On s'observe seule dans son propre espace énergétique sans se soucier du partenaire, on n'est plus avec lui.

Retrouver la parole

Pour ne pas rompre la communication, c'est le moment de retrouver la parole. Exprimer vraiment ce que l'on ressent, pouvoir raconter ce qui se passe en nous en décrivant les images ou les sensations, dire comment on perçoit l'autre, lui témoigner comment son corps est jouissif, c'est une façon de rester relié et d'entretenir la créativité de chacun.

Pendant les préliminaires, on s'était retrouvé dans le monde infraverbal, on s'était coupé des mots. Les mots, s'ils existaient, étaient des mots de bébé : « mon doudou », « mon chouchou ». Ils rappelaient de vieilles mémoires, leur fonction était plus énergétique que significative, ils étaient émis pour augmenter le plaisir.

Maintenant, on l'a vu, le bébé a grandi. Retrouver la parole permet aux amants de rester en communication, de savoir où en est l'autre. On pourrait dire que la jouissance est une affaire d'énergie tandis que l'amour, qui se donne les moyens d'évoluer, est une histoire de mots. Sans parole, les relations érotiques n'arrivent pas à se construire ni à s'enraciner dans le temps. « L'amour sans mots, c'est comme si j'étais seule, enfermée dans ma carapace », disait une collègue dans un groupe de travail sur la sexualité. La parole crée la confiance nécessaire à l'ouverture à l'autre. C'est permettre à l'énergie sexuelle d'emprunter les trajets les plus appropriés du moment.

À chaque tournant, la communication érotique peut rencontrer un obstacle. Il est important de prendre en considération ses propres obstacles, car ils interrompent la communication. On peut alors continuer de faire l'amour, mais l'échange amoureux reste coincé dans une même histoire et ne va pas pouvoir aller au-delà. Les obstacles créent des limitations à l'épanouissement. Lever les blocages ouvre sur un nouvel espace à explorer.

La parole entre les partenaires est importante pour faire le point de la situation en sachant qu'on ne peut pas demander à l'autre de savoir résoudre ses propres problèmes. Il y a des problèmes qui ont besoin de se résoudre pour son propre compte avec l'aide d'un thérapeute personnel, justement pour ne pas charger l'autre de ce dont il est incapable et ne pas lui demander l'impossible. Si chacun accepte de prendre en compte ses propres difficultés et donc de changer, le dialogue peut redevenir créatif.

Les trajets de l'énergie sexuelle

Cette énergie nous dépasse, il est question de la laisser circuler. Soit l'énergie remonte globalement, comme si notre peau constituait les parois d'un contenant qui se remplit de bas en haut, soit l'énergie va nourrir les organes que l'on peut sentir se fortifier si on les connaît, soit encore l'énergie emprunte des trajets énergétiques particuliers décrits dans les manuels d'alchimie sexuelle[1], en particulier celui de la « petite révolution céleste ». L'énergie remonte alors la colonne vertébrale pour redescendre sur une ligne médiane de l'avant du corps, créant ainsi un anneau qui récapitule au complet l'énergie du corps adulte sexué.

La complétude
et le dépassement de soi

L'amour est pour chacun une ouverture sur l'inconnu de nos forces de vie, celles qui nous ont donné la vie. La rencontre sexuelle remet en jeu ces forces. Elle permet non seulement de se découvrir soi-même, mais de s'y dépasser dans une véritable création improvisée à deux.

Les énergies qu'on y réveille commencent par nous envahir. Elles se diffusent dans notre ventre, emplissent tous les organes qu'il contient, traversent notre diaphragme, envahissent nos poumons, notre cœur et notre gorge pour pénétrer notre tête. Elles remontent alors au cerveau

---

1. Voir Catherine Despeux, *Immortelles de la Chine ancienne*, Paris, Pardès, 1997 ; Mantak Chia, *Le Tao de l'amour retrouvé. L'énergie sexuelle féminine*, Paris, Guy Trédaniel, 1990.

et l'inondent. Nous voyons plus clair, nous entendons mieux, nos idées sont perspicaces, nous nous sentons forts, redressés, et nous nous percevons plus en accord avec nous-mêmes.

Nous nous sommes remodelées. Cette puissance énergétique fertilise tout notre corps. D'y voir plus clair, cela nous rend confiantes et nous tranquillise. Cette assurance fait que nous sommes plus stables sur la base où notre jardin originel, celui que l'on dit secret, respire d'une irrigation nouvelle. Comme tout jardin, il se cultive, fleurit, se visite et s'entretient différemment selon les saisons, l'heure de la journée, l'inspiration du moment, l'âge et l'expérience.

Se projeter dans le corps de l'autre

Dans l'amour, comme nous ne formons qu'un corps à deux, notre esprit a le pouvoir de se projeter dans l'une ou l'autre des parties du corps de l'autre. Il suffit de se fixer mentalement sur une de ses parties pour que l'autre le ressente se renforcer.

Cette pratique permet aux amants de se visiter l'un l'autre. Il est connu que l'homme peut envahir de ses énergies le corps de la femme. On sait moins que la femme a elle aussi cette aptitude : la dimension psychique de son masculin lui permet de se projeter mentalement dans le corps de l'homme. La projection permet de faire durer la rencontre puisqu'elle opère un apport d'énergie.

La résonance des énergies : la jouissance

La jouissance n'est pas un acte, c'est un processus qui se ressent et s'apprivoise. C'est un phénomène qui s'étudie en physique ondulatoire sous le terme de « résonance ». Le plaisir qu'éprouvent les corps à se compénétrer vient des énergies mises en jeu par les deux partenaires qui visent à entrer en résonance, c'est-à-dire à vibrer à l'unisson, dans la même fréquence. Comme lors d'un chant en duo où les voix s'accordent et se potentialisent pour n'en former qu'une.

Cela se ressent comme un allégement du corps et donne aux amants l'impression de « s'envoyer en l'air ».

L'homme et la femme sont deux à se faire jouir et l'important n'est pas de s'accrocher à l'idée de vouloir obligatoirement jouir au même moment. L'amour doit rester ouvert sur sa propre créativité autant que sur celle de l'autre. C'est une partition qui se joue à deux et les instruments peuvent, comme dans un orchestre, se relayer l'un l'autre. Chaque fois que nous faisons l'amour, les harmoniques changent en fonction de la disponibilité de chacun et de nos périodes de vie. Il n'y a pas toujours la même quantité ni la même qualité d'ondes mises en jeu dans la rencontre. C'est encore plus évident avec des partenaires différents.

Il faut aussi se défaire d'idées fausses et pré-conçues qui cataloguent, jugent et figent la relation. Arrêter de croire qu'il y a des hommes impuissants ou éjaculateurs précoces irrémédia-bles, des femmes d'une frigidité absolue ou défi-nitivement clitoridiennes, car c'est oublier que la sexualité est un système ouvert où tout se joue dans la qualité relationnelle que l'on établit.

L'important est la place que nous donnons à notre vie sexuelle dans notre existence : savoir lui consacrer du temps, de l'énergie et de la parole. Une considération semblable à celle que nous consacrons à notre travail, à nos enfants et à ce qui nous importe. Sans cette vigilance, les vieilles structures nous rattrapent et reprennent le dessus, elles absorbent toute notre énergie et nous font négliger notre partie féminine sexuée.

C'est quoi, l'orgasme ?

L'orgasme est le point culminant de réso-nance des forces mises en jeu. Pour l'atteindre, il s'agit de faire confiance à ces phénomènes vibratoires, ne pas avoir peur de perdre le contrôle de ce qui s'y passe. Tout à coup, c'est un saut ou une plongée à laquelle il faut s'ouvrir et se laisser aller. Pour la femme, la jouissance est de sentir comment l'homme est planté en elle et comment elle se sent portée par lui. Pour l'homme, le plaisir orgasmique consiste, d'une façon complémentaire, à percevoir comment son énergie envahit le corps de la femme et à se sentir responsable de cette élévation lumineuse que produit l'union des corps d'énergie.

Pour la femme, l'orgasme implique plusieurs plans qui se déroulent de façon simultanée. C'est, à la fois, la sensation physique des ondes vibratoires qui, prenant naissance dans le vagin, se propagent plus ou moins rapidement dans les autres régions du corps. C'est aussi une sensation émotionnelle qui s'associe aux idées et à la pensée. « Je ressens la force énergétique de l'homme qui pénètre mon corps, disait une collègue dans un groupe de travail. C'est comme si une porte s'ouvrait brusquement pour le laisser entrer à l'intérieur de moi. Durant quelques instants, mon corps échappe à la pesanteur autant qu'à mon contrôle et le vrai plaisir de l'orgasme réside alors, pour moi, dans cette sensation d'élévation que crée cette vague qui envahit tout. Cette vague part de mon ventre pour éclater dans la tête et, en sortant par les yeux, la bouche et le haut du crâne, elle me donne l'impression que je suis branchée au ciel. »

« L'orgasme, dit une autre, est un moment de jouissance intense qui, prenant son foyer dans le sexe et la tiédeur voluptueuse du ventre, embrasse le corps de façon fulgurante. Agissant comme une magie, la jouissance arrive à pas feutrés pour soudainement nous embarquer au grand galop. Puis cette envolée retombe et lui succède un état de pleine satisfaction dans lequel je me sens entière et repue. »

« Il y a aussi des moments de grâce où le plaisir orgasmique jaillit à l'improviste, dit une troisième. Brusquement, sous l'effet d'une caresse ou la douceur d'une pénétration, je sens mon sexe qui, en gonflant, est saisi par une série de spasmes qui évoluent par paliers et se diffusent dans tout le reste du corps. Je bascule alors dans un univers de vibrations, d'images et de couleurs. Je deviens un rivage que la haute mer caresse de ses vagues. Elles y déferlent, grandes ou petites, mais le moindre de leurs frôlements inonde de sensations jubilantes les recoins les plus secrets de mon corps et, sous mes paupières fermées, un bleu éblouissant me transporte dans un monde de lumière. »

Ces états d'extase s'atteignent dans des moments de grande disponibilité. Ce qui les rend possible, c'est d'être à deux dans un état émotionnel et affectif où l'on se sent pleinement le support et le soutien de l'autre, en ayant une confiance totale autant dans ses propres forces que dans celles du partenaire.

Un autre témoignage nous fait ressentir à travers la subjectivité d'une femme la découverte de la jouissance : « Avoir appris à faire l'amour est un ravissement qui me fait me sentir comme j'aime. C'est un révélateur et un cristallisateur de moi-même. Je n'en reviens toujours pas que la rencontre des corps puisse être capable de faire des choses pareilles. Que mon sexe soit une porte de passage au merveilleux, qu'il soit convoité comme tel est un bonheur. Ça me narcissise, je suis fière, je suis confirmée d'être femme, ce que je souhaite depuis toujours. Je me sens construite, entière, je me sens droite, vive, claire et surtout dégagée de mes encombrements fantomatiques. Cette rencontre avec l'autre participe de l'estime que j'ai pour moi.

» La jouissance, c'est de vibrer, d'être active et réactive aux sensations que me provoque cet homme qui me plaît et à qui je plais. Je sens son sexe en moi, son sexe en moi me fait plaisir. Comme une victoire et une évidence. Je permets à la vie de se loger à l'intérieur de mon corps. Comment ce sexe d'homme apporte avec lui cette percée qui vient de l'éternité et nous y reconduit. Nos deux sexes sont des médiateurs qui nous amènent à découvrir d'autres espaces.

» Maintenant je sais dire à un homme qui me plaît que j'ai envie de lui. Mon vocabulaire érotique s'exprime autour de l'idée du voyage que l'on va faire, de l'hôtesse que je suis et de sa force virile.

» Je lui dis et lui témoigne comment il est à sa place quand il est dans mon corps, que c'est ça que j'aime, que sa force masculine me traverse et je raconte ce qu'il m'arrive en sensations ou en images.

» Allez on y va, on part en voyage. Il est à cheval et je suis le cheval qui nomme la promenade de mon jardin, comme c'est magnifique les allées, les bosquets, les odeurs. J'aime alors les baisers de nos bouches et la caresse de mes seins qui vitalisent mon sexe. Une autre fois, le cheval devient Pégase et je décolle dans le cosmos et la force de propulsion vient de nos sexes emboîtés. Je peux aussi me retrouver dans les fonds sous-marins toujours propulsée par un petit réacteur. Une autre fois, c'est moi la cavalière-cavalier, fière, digne, qui avec l'âge a perdu de sa fougue mais a gagné en profondeur. Plus je me donne à lui, plus je le ressens en moi, et maintenant je peux me projeter dans son corps. Ce sont alors les sensations qui prennent l'avant de la scène. Psychiquement, je vais aller selon mon intuition dans ses organes ou ses circuits énergétiques et lui raconte ce qui se passe.

» Et quand je sens que l'éjaculation va arriver, je fais un retrait imperceptible pour pouvoir faire une pause, faire redescendre l'intensité afin de pouvoir rebondir.

» Une force se concentre au sexe et remonte jusqu'aux orifices du visage. Ça carbure, les vibrations s'intensifient jusqu'à un paroxysme où, dans un temps suspendu, l'éjaculation vient mettre un terme à la rencontre du moment. »

Après avoir fait l'amour :
la descente du voyage

« C'est une nuit inoubliable, non pas pour les détails érotiques, mais pour la joie de me sentir entière, sans être déchirée entre mes pulsions sexuelles et mes sentiments profonds. »

À la sortie de ce voyage cosmique ou non, les amants se sentent reconstitués et plus complets. Ils se sont connus au sens biblique du terme, se sont régénérés, et ils s'en sentent grandis. Ils sont tout émerveillés de ce qu'ils viennent de vivre et chacun éprouve de la gratitude pour l'autre qu'il a envie de remercier et d'aimer d'autant plus. L'homme et la femme ont ainsi mis en œuvre la merveilleuse alchimie des sens. Dans les termes des ouvrages de l'ancienne Chine, ils viennent de « cueillir le remède qui protège des maladies ». Un tel bienfait s'inscrit dans la mémoire de leurs corps et leur donnent l'envie de recommencer.

Fêter cette rencontre qu'est l'amour charnel, c'est honorer la vie. Toute célébration de la vie fait du bien, elle nous fait toucher à son mystère. Cet échange met en jeu les forces créatrices qui, après nous avoir donné la vie, sont maintenant les nôtres. Nous les rendons d'autant plus actives qu'en les offrant à l'autre, nous recevons les siennes. « Savoir cueillir » ces forces donne une énergie qui nous fait tenir debout, nous redresse et nous propulse dans notre réalité humaine.

BIBLIOGRAPHIE

ABRAHAM N., TOROK M., *L'Écorce et le Noyau*, 2ᵉ éd., Paris, Flammarion, coll. « Champs », 1987.

ANCELIN SCHÜTZENBERGER A., *Aïe, mes aïeux !*, 17ᵉ éd., Paris, Desclée de Brouwer, 2003.

ANCELIN SCHÜTZENBERGER A., *Vouloir guérir. L'aide au malade atteint d'un cancer*, Paris, Desclée de Brouwer, 1985.

ANCELIN SCHÜTZENBERGER A., BISSONE JEUFROY É., *Sortir du deuil. Comment affronter son chagrin et surmonter la perte*, Paris, Payot, 2004.

BARRAL W. (dir.), *Françoise Dolto, c'est la parole qui fait vivre. Une théorie corporelle du langage*, 2ᵉ éd., Paris, Gallimard, 2003.

CANAULT N., *Comment l'envie de naître vient au fœtus*, Paris, Desclée de Brouwer, 2001.

CANAULT N., *Comment paye-t-on les fautes de ses ancêtres ?*, Paris, Desclée de Brouwer, 1998.

CARDINAL M., *Les Mots pour le dire*, Paris, LGF, coll. « Le Livre de poche », 1977.

CORNEAU G., *Père manquant, fils manqué. Que sont les hommes devenus ?*, Paris, Éditions de l'Homme, 2000.

CHENG J., *Le Tao de l'art d'aimer*, Paris, Calmann-Lévy, 1977.

CYRULNIK B., *Sous le signe du lien*, Paris, Hachette, coll. « Pluriel », 1997.

CYRULNIK B., *Les Nourritures affectives*, Paris, Odile Jacob, 1993.

DELAISI DE PARCEVAL G., *La Part du père*, Paris, Seuil, coll. « Points », 2004.

DELASSUS Jean-Marie, *Le Génie du fœtus. Vie prénatale et origine de l'homme*, Paris, Dunod, 2001.

DELASSUS Jean-Marie, *Devenir mère. Histoire secrète de la maternité*, Paris, Dunod, 1998.

DESPEUX C., *Immortelles de la Chine ancienne*, Paris, Pardès, 1997.

DESPEUX C., *Taoïsme et corps humain*, Paris, Guy Trédaniel, 1990.

DIVAKARUNI C.B., *La Maîtresse des épices*, Arles, Philippe Picquier, 2002.

DIVAKARUNI C.B., *Mariage arrangé*, Arles, Philippe Picquier, 2001.

DOLTO F., *Le Féminin*, Paris, Gallimard, 1998.

DOLTO F., *Le Sentiment de soi. Aux sources de l'image du corps*, Paris, Gallimard, 1997.

DOLTO F., *Sexualité féminine. La libido génitale et son destin féminin*, Paris, Gallimard, 1996.

DOLTO F., *Tout est langage*, Paris, Gallimard, 1994.

DOLTO F., *L'Image inconsciente du corps*, Paris, Seuil, coll. « Points », 1992.

DOLTO F., *Au jeu du désir*, Paris, Seuil, 1981.

DOLTO F., *L'Évangile au risque de la psychanalyse*, Paris, Seuil, coll. « Points », 1980.

DUMAS D., *Et si nous n'avions toujours rien compris à la sexualité ?*, Paris, Albin Michel, 2004.

DUMAS D., *La Sexualité masculine*, Paris, Hachette, coll. « Pluriel », 2002.

DUMAS D., *La Bible et ses fantômes*, Paris, Desclée de Brouwer, 2001.

DUMAS D., *Sans père et sans parole. La place du père dans l'équilibre de l'enfant*, Paris, Hachette Littératures, 1999.

DUMAS D., *Et l'enfant créa le père*, Paris, Hachette Littératures, 1999.

DUMAS D., *L'Ange et le Fantôme. Introduction à la clinique de l'impensé généalogique*, Paris, Minuit, 1985.

DUTHEIL R. et B., *La Médecine superlumineuse*. Paris, Sand, 1999.

FREUD S., *Trois essais sur la théorie sexuelle*, Paris, Gallimard, coll. « Folio », 1999.

HERBINET É., BUSNEL M.-C. (dir.), *L'Aube des sens*, Paris, Stock, 1991.

HÉRITIER F., CYRULNIK B., NAOURI A., *De l'inceste*, Paris, Odile Jacob, coll. « Opus », 1994.

LARRE C., *Aperçus de médecine traditionnelle chinoise*, Paris, Desclée de Brouwer, 1994.

LARRE C., ROCHAT DE LA VALLÉE É., *Les Mouvements du cœur. Psychologie des Chinois*, Paris, Desclée de Brouwer, 1992.

LARROCHE M., *Mes cellules se souviennent*, Paris, Guy Trédaniel, 1994.

MANTAK C., *Le Tao de l'amour retrouvé. L'énergie sexuelle féminine*, Paris, Guy Trédaniel, 1990.

MANTAK C., *Les Secrets de l'amour selon le Tao. Cultivez l'énergie sexuelle masculine*, Paris, Guy Trédaniel, 2000.

MERGER R., LÉVY J., MELCHIOR J., *Précis d'obstétrique*, 6ᵉ éd., Paris, Masson, 2001.

OUAKNIN M.-A., *Tsimtsoum. Introduction à la méditation hébraïque*, Paris, Albin Michel, 1992.

REVARDEL J.-L., *Constance et fantaisie du vivant*, Paris, Albin Michel, 1993.

SOUZENELLE A. DE, *Le Symbolisme du corps humain*, Paris, Albin Michel, 1991.

BIBLIOGRAPHIE

SULLEROT É., *Quels pères ? Quels fils ?*, Fayard, 1992.

VAN EERSEL P., *La Source noire. Révélations aux portes de la mort*, Paris, Grasset, 1986.

VAN EERSEL P., *Le Cinquième Rêve*, Paris, Grasset, 1997.

WINNICOTT D.W., *Jeu et Réalité. L'espace potentiel*, Paris, Gallimard, 1975.

ZELLER A., *À l'épreuve de la vieillesse*, Paris, Desclée de Brouwer, 2003.

REMERCIEMENTS

Je remercie Josy Marie Ibanez, thérapeute énergéticienne, pour sa vision claire et précise de l'énergétique féminine. Sa participation m'a donné de l'assurance pour l'écriture de ce livre ;

Didier Dumas, avec qui j'échange et élabore ma recherche ;

Patricia Canino, pour son assistance et sa collaboration généreuse qui m'ont permis de mettre en forme définitivement ce livre ;

Mes clientes, avec lesquelles et grâce auxquelles j'ai cheminé ;

Les participant(e)s aux groupes de parole sur la sexualité et aux groupes de recherche des transmissions transgénérationnelles du Jardin des Idées.

Toutes et tous les ami(e)s, jeunes et moins jeunes, qui m'ont soutenue.

TABLE

TABLE

Mise en page PCA
44400 Rezé

Achevé d'imprimer par Corlet, Imprimeur, S.A. - 14110 Condé-sur-Noireau
N° d'Imprimeur : 105126 - Dépôt légal : mai 2007 - *Imprimé en France*